O ENIGMA DA LIDERANÇA

SERGIO PIZA

editora ÉVORA.

Publisher
Henrique José Branco Brazão Farinha
Revisão
Renata da Silva Xavier
Vitória Doretto
Projeto gráfico de miolo e editoração
Lilian Queiroz | 2 estúdio gráfico
Capa
Os artistas
Impressão
Edelbra

Copyright © 2018 *by* Sergio Piza
Todos os direitos reservados à Editora Évora.
Rua Sergipe, 401 – Cj. 1.310 – Consolação
São Paulo – SP – CEP 01243-906
Telefone: (11) 3562-7814/3562-7815
Site: http://www.evora.com.br
E-mail: contato@editoraevora.com.br

DADOS INTERNACIONAIS PARA CATALOGAÇÃO NA PUBLICAÇÃO (CIP)

P766e

Piza, Sergio
　　O enigma da liderança / Sérgio Piza. - São Paulo : Évora, 2017.
　　200 p. ; 16 x 23 cm.

　　Inclui bibliografia.

　　ISBN 978-85-8461-156-0

　　1. Administração de pessoal. 2. Liderança. 3. Profissões – Desenvolvimento. I. Título.

CDD- 658.3124

JOSÉ CARLOS DOS SANTOS MACEDO – BIBLIOTECÁRIO – CRB7 N. 3575

Para Flávia.

PREFÁCIO

Muitos não leem prefácios, que de fato costumam ser aborrecidos. Outros os leem de cara feia. Há uma minoria que passa os olhos apenas para poder dizer que teria enfrentado o livro todo, e alguns poucos que o levam a sério.

Para estes últimos, uma nota curta:

Sou parte da turma cética, que passa desconfiada por esta introdução, via de regra rala. Por isso, se há algo que se possa dizer sem muita embromação, é que este livro é bom, agradável e com conteúdo ainda melhor.

Não preciso repetir o valor do talento, a importância das pessoas, os desafios que novas gerações, alavancadas por tecnologia amplamente disponível e amigável, estão criando no universo do trabalho. Nunca houve tanto espanto e tanta necessidade de compreensão dos múltiplos aspectos que ancoram a ciência da administração de pessoas e da consequente liderança.

A história nos deu ótimos autores, que traduziram maravilhosamente seus tempos. Contudo, neste mundo de mudanças tão dramáticas, onde as empresas morrem em velocidade cada vez maior e de forma brutal, entender como lidar com pessoas exige narrativas novas, que carreguem história e experiência, mas acima de tudo ousadia e capacidade de se preparar para o que der e vier.

Sergio Piza arregaça as mangas e pretende, com *savoir-faire*, encarar o desafio, escrevendo exatamente para aqueles que julgarão sua obra no dia a dia de suas nascentes vidas profissionais. Ao terminar minha leitura até lamentei que texto tão rico não tivesse como foco um público maior e mais experiente, mas sua explicação de que tinha o objetivo de ajudar a quem chegava me fez compreender sua amplitude e ter ainda mais orgulho do convite para dar o pontapé inicial neste seu trabalho.

Sergio tem muitos atributos. Percebeu que para fechar a equação de sua opção profissional tinha de conhecer variáveis psicanalíticas, sociológicas, antropológicas, entender de números, avaliar modelos de negócios, ouvir mais do que falar, ter paciência e leveza, gostar de existir. Habilidoso, teve uma carreira bem-sucedida, na velocidade de ascensão correta, e hoje claramente impressiona pela densidade e sensibilidade de sua atuação.

E mais, consegue sair de férias, colecionar amigos, lutar por causas, se dedicar à família, traduzir em prática tudo aquilo que almejamos cada dia mais: equilíbrio entre público e privado.

Conheço poucas pessoas tão prontas, dispostas e que possam dividir seu conhecimento. E conheço poucas nessa altitude capazes da atitude de fazê-lo justamente com um público mais jovem e com os professores que usarão bem suas reflexões.

Portanto, meus caros, aproveitem. Aproveitem a forma, o conteúdo, os casos, os instigantes testes finais de apoio didático, as boas frases de abertura, os erros, os acertos, as fronteiras da pluralidade que defende, a sensação clara de que eis aqui um autor que se sentou com vocês para uma prosa, que fortuitamente se transformou depois num livro. A mim parece que há tanto de boa cerveja quanto de tinta nestes capítulos, num diálogo que, ainda bem, está mais para um sofá de casa ou do bar preferido do que um banco duro de escola ou cadeira macia de escritório.

Encontraremos à frente, além de orientação em processos e posturas, uma visão desconstruída do líder, com boa carga de generosidade humanista ao torná-lo homem de carne e osso que, entretanto, tem senso de propósito, compromissos com resultados, fidelidade ao alinhamento, capacidade de fazer perguntas e sentimento de time sem perder a posição de capitão.

Não vou, assim, tentar explicar o que está muito mais bem explicado nas páginas a seguir. Vou apenas, experimentado nesses anos todos em empresas tão diferentes e momentos tão críticos, dizer que Sergio entendeu tudo e que, felizmente, compartilha conosco o que apurou.

É obra valiosa, útil, daquelas que agregam valor. Espero que tenham o prazer que tive e, como eu, a boa ventura e oportunidade de em algum momento dividir um café ou um bife com nosso rico, boa-praça e substancioso Sergio Piza.

Horacio Lafer Piva

SUMÁRIO

INTRODUÇÃO 1

PARTE 1
DECIFRANDO O ENIGMA DA LIDERANÇA 7

1 LIDERANÇA CONTEXTUALIZADORA 9
2 O PAPEL DO RH CONTEMPORÂNEO 29
3 A SOMA DE TODOS OS SONHOS 47

PARTE 2
PARA CHEGAR LÁ MAIS DEPRESSA 67

4 A JORNADA ATÉ ÍTACA 69
5 SUA ÚNICA ESCOLHA É ESCOLHER 91
6 AS PRIMEIRAS MELHORES ESCOLHAS 111
7 TODO VALOR DA SUA (BOA) REPUTAÇÃO 131
8 O RISCO DE DERRAPAR AOS 35 ANOS 149
9 EU NO SINGULAR, VIDA NO PLURAL 167

BIBLIOGRAFIA 185

INTRODUÇÃO

Quando comecei a pensar neste livro, a primeira intenção era simplesmente compartilhar minhas vivências e aprendizados na vida corporativa em mais de trinta anos de carreira, no Brasil e nos Estados Unidos, sempre atuando em recursos humanos, área que hoje prefiro chamar de gestão de pessoas (GP). Seria, essencialmente, um texto dedicado aos jovens profissionais de GP, apresentando a problematização de situações reais, as soluções práticas implementadas e os resultados alcançados – mensurados posteriormente. É que minha experiência tem me mostrado que, em grande parte, a construção de uma sociedade melhor passa pela transformação do mundo do trabalho e das empresas e que os profissionais de GP podem estar à frente dessa revolução pacífica e silenciosa.

Ao longo da execução do projeto, porém, descobri que livros são mesmo um pouco parecidos com filhos: depois que começam a se desenvolver, conquistam autonomia, assumem vida própria e, felizmente, acabam se tornando "melhores do que a encomenda". Assim, aquele meu objetivo inicial foi atendido nos três capítulos que formam a primeira parte deste livro: "Decifrando o enigma da liderança" e, a partir daí, meu foco se ampliou. Na segunda parte, "Para chegar lá mais depressa", cheguei à conclusão de que, mesmo assumindo seu papel de agente de transformação no mundo corporativo, o líder de GP não pode ser um "revolucionário solitário". Sua melhor atuação sempre vai depender da qualidade da interação com os líderes e os times da empresa. Então, para maximizar resultados em inovação, produtividade e sustentabilidade, é imprescindível contar com gente disposta a receber e oferecer o seu melhor. E surgiu aqui meu segundo objetivo com este livro: compartilhar com você, leitor, jovem talento em qualquer área de atuação profissional, muito do que aprendi sobre gestão de carreira e desenvolvimento de liderança.

Tenha certeza, em primeiro lugar, de que a visão de mundo (dentro e fora da empresa), as práticas e as dicas apresentadas a partir do Capítulo 4 são aquelas que já incorporei ao meu cotidiano como líder de GP. Mais do que isso, são as mesmas sugestões que dou às minhas filhas e aos meus filhos, quando procuro apoiá-los em seu desenvolvimento pessoal e profissional. Por isso, com todo desapego, tentei escrever como se estivesse realmente conversando com você no dia a dia, como faço com as pessoas da minha equipe e também lá em casa. Sinceramente, não faço parte daquela turma que acredita que, para falar sério, a gente precisa ser chato e quase incompreensível. Ao contrário, acho que a complexidade pode – e deve – ser traduzida pela simplicidade. Desse modo, além do tom coloquial, todos os capítulos têm seções focadas em reflexões bem pragmáticas sobre o seu contexto de vida e carreira e/ou dicas e ideias úteis para "chegar lá" mais depressa.

No primeiro capítulo, "A Liderança Contextualizadora", o conceito é apresentado e, em seguida, aplicado à atuação do líder com o relato de situações práticas, vivenciadas por mim ao longo de minha carreira. Embora já seja histórica a sucessão de gurus que tentou identificar, definir, sistematizar e incrementar o desenvolvimento de líderes, esses esforços – apesar de meritórios – não têm, necessariamente, nos levado aos melhores resultados: em minha opinião, o perfil de competências do líder é hoje o de uma pessoa idealizada, irreal, sobre-humana e, por isso mesmo, parece uma meta inatingível aos mortais do mundo corporativo. Por essa razão, minhas reflexões profissionais me levam a tentar (re)humanizar o líder, passando a vê-lo como alguém que investe no autoconhecimento até a identificação de seu propósito de vida e, a partir disso, oferece à equipe um novo contexto capaz de instigar a motivação, o aprendizado contínuo, a inovação e o aumento da produtividade. É a partir do estabelecimento de relações de confiança que o líder contextualizador cria um ciclo de desenvolvimento mútuo: aprender com os outros (cuidar e se deixar cuidar), realizar (tornar realidade o aprendido) e retribuir, compartilhando o aprendizado e seus benefícios.

No Capítulo 2, "O papel do RH contemporâneo", a ideia da Liderança Contextualizadora é aplicada à área, enfatizando, em primeiro lugar, a sugestão da mudança de nome para gestão de pessoas – os seres humanos não são "recursos", pois somos nós que obtemos e administramos os recursos de uma empresa para conduzi-la aos melhores resultados. Não há hoje CEO capaz de discordar de que as pessoas são um dos principais ativos corporativos, mas, mesmo assim, alguns gurus discutem se a área precisa realmente existir nas organizações ou se cada gestor deveria gerir também o RH de sua equipe. Polêmicas à parte, para mim, o papel do líder de GP é imprescindível, quando ele próprio atua como um líder contextualizador, conciliando as habilidades clínicas do coach à visão estratégica de negócios para dar sustentação às mais profundas, consistentes e duradouras transformações na estrutura e na cultura organizacionais, em busca de empresas mais competitivas. No Capítulo 3, "A soma de todos os sonhos", relato um caso verídico em que essas ideias foram todas postas em prática, gerando resultados EXTRAordinários – mensurados e sustentáveis.

A segunda parte do livro dá foco, principalmente, aos fatores que podem ajudar a acelerar o desenvolvimento profissional dos jovens talentos. No Capítulo 4, "A jornada até Ítaca", proponho o autoconhecimento como ponto de partida de uma carreira, ou melhor, de uma vida mais plena e serena. O trabalho diário é apenas uma das dimensões do ser humano e, por isso, não deve bastar como identidade para ninguém. Cada um de nós é muito mais do que o seu trabalho diário. Mas, por outro lado, a insatisfação profissional pode ser a causa de muita ansiedade inútil. E isso nos leva ao Capítulo 5, "Sua única escolha é escolher, e ao Capítulo 6, "As primeiras melhores escolhas", no qual discuto um processo de reflexões pragmáticas para que suas escolhas de vida e carreira estejam em harmonia com sua essência e levem aos melhores resultados – com realização pessoal e – por que não? – também financeira.

A partir do Capítulo 7, "Todo valor da sua (boa) reputação", nossa conversa sai da realidade interior e vai para aquele contexto diário que nos rodeia: não basta investir no autoconhecimento e fazer as próprias melhores escolhas; é preciso que a sua prática diária também esteja em sintonia com esses valores. Os jovens profissionais – rapazes e moças – precisam estar preparados para fazer a gestão de sua reputação corporativa. Há, por exemplo, uma grande diferença entre atitude e desempenho, e eu costumo dizer que o melhor resultado não justifica o pior comportamento. A seguir, no Capítulo 8, "O risco de derrapar aos 35 anos", a conversa avança para os profissionais já com um pouco mais de experiência. Durante quase dez anos, a pessoa se dedica à construção da carreira: autoconhecimento, autonomia, motivação, maestria... mas "aquela" promoção ainda não chegou. A ansiedade cresce e proporcionalmente aumentam os riscos de uma derrapagem nessa fase da vida profissional, em geral, por volta dos 35 anos – um pouco menos, um pouco mais. Ser protagonista da própria vida, porém, não é ter todo o controle nas mãos... Essa ansiedade, quando mal canalizada, pode levar a erros de avaliação e provocar comportamentos contraproducentes: trocar de emprego antes da hora; ficar na mesma empresa tempo demais; criar novos obstáculos ao próprio desenvolvimento. E a gravidez nesse momento ajuda ou atrapalha? Proponho aqui que as reflexões pragmáticas levem você a um autodiagnóstico: o que pode estar, de fato, adiando a sua promoção?

E, por fim, no Capítulo 9, "Eu no singular, vida no plural", discuto a questão da diversidade nas equipes corporativas e implico um pouco com a própria palavra, que pressupõe que a gente deve se esforçar para "tolerar" as pessoas que consideramos diferentes. Em vez disso, minha ideia é ampliar a visão e reconhecer que somos todos do gênero humano, iguais na essência e únicos na manifestação de nossas singularidades. E, mais do que isso, precisamos reconhecer que é do conjunto das nossas singularidades que surge a pluralidade capaz de potencializar e multiplicar nossa capacidade de inovar e produzir – numa convivência natural e agradável, sem precisar de nenhum esforço de tolerância.

Estou consciente de que, ao longo de toda minha carreira, tenho encontrado gente muito boa e disposta a contribuir com meu aprendizado e desenvolvimento como líder de GP. Por isso, vejo esse livro como um gesto de gratidão. Fico daqui, na expectativa de que as histórias da minha jornada profissional possam retribuir a você muito de tudo que recebi de tantas pessoas. Tomara que a leitura seja agradável e que o livro seja realmente útil para instigar transformações na sua carreira e, quem sabe, na sua vida. E que depois, como líder contextualizador, você também retribua às pessoas com as quais convive, tornando-se mais um agente de transformação do nosso mundo corporativo. Que assim seja...

PARTE 1

Decifrando o enigma da liderança

1
LIDERANÇA CONTEXTUALIZADORA

> Se todo mundo tem que pensar fora da caixa, talvez seja a caixa que precisa de conserto.
>
> Malcolm Gladwell[1]

A discussão sobre quem é, como age e o que torna alguém "o líder" é tão antiga quanto a história. É bem provável até que seja suprahistórica. Lá no tempo dos clãs dos caçadores-coletores, a sobrevivência diária devia depender ainda mais de um bom líder do que hoje na vida corporativa... O fato é que, pelo menos desde Platão,[2] existem registros de que a gente vem correndo atrás de entender – e maximizar! – quais são os traços, comportamentos, contingências, circunstâncias, papéis, relacionamentos, crenças, valores e práticas que fazem uma pessoa ser e agir como um líder. Nessa longa explanação, que nos leva da Grécia platônica à modernidade do século XXI, espero ter conseguido resumir todas as abordagens – teóricas e práticas – dos últimos 25 séculos em torno

---

[1] Malcolm Gladwell – colunista da revista *The New Yorker* desde 1996, é autor de best-sellers internacionais como *O ponto de virada*, *Blink* e *Fora de série*.
[2] Platão (428 - 348 a.C.) – filósofo e matemático grego, fundador da Academia de Atenas.

da discussão sobre as características da liderança (se não consegui, sugiro dois textos[3]).

Depois desse salto no tempo, desembarcamos direto na contemporaneidade. Mas, em relação à liderança, parece que avançamos pouco. A discussão continua aberta. Quem são os líderes? Onde estão? Como identificá-los? As perguntas se multiplicam. Já as respostas se somam para formar o atual perfil de competências do líder, que é a nítida fotografia das mais altas expectativas corporativas. Hoje, para merecer ser chamado de líder, é preciso ser – "tudo junto e ao mesmo tempo" – inovador, visionário, estrategista, versátil, resiliente, desafiador, inteligente (racional e emocionalmente), carismático, motivador, inspirador, servidor, empoderador, além de ter ótimo relacionamento interpessoal e ainda a capacidade de mergulhar de cabeça no autoconhecimento; dar foco nas pessoas; saber ouvir os outros; falar bem em público; abrir espaço interno para as emoções e a intuição e, entre tantos outros atributos que também poderiam ser elencados aqui, líder que é líder sabe manter o sangue-frio e a racionalidade nas horas de crise, quando todo mundo entra em pânico e quer sair correndo da sala de reunião...

É demais. Chega a ser assustador. Esse líder, coitado, tem de ser sobre-humano. Ou é o Batman ou a Mulher-Maravilha. Não existe gente assim. Nunca existiu nem vai existir (felizmente!). E, se existisse, a gente ia querer preencher todos os cargos da empresa "sempre com a mesma pessoa de sempre". Todo mundo igualmente perfeito e perfeitamente igual. Seria o banimento da pluralidade e das singularidades. Monótono e, bem provavelmente, contraproducente. Mesmo assim, a gente não desiste. Quer

---

[3] Para ter um ótimo panorama sobre o assunto, recomendo dois textos: 1) um deles da minha ex-professora Cecília Whitaker Bergamini, "Liderança: a administração do Sentido", publicado na Revista de Administração de Empresas (EAESP/FGV - São Paulo: v.34, mai/jun 1994). Disponível em: <http://www.scielo.br/pdf/rae/v34n3/a09v34n3.pdf>. Acesso em: 23 jul, 2016; e 2) vale ler, especialmente a Introdução da dissertação de Sergio M. Salles Muniz Filho, que foi orientando do Marco Túlio Zanini, meu amigo e consultor na Symbállein, além de pioneiro na concepção da gestão de ativos intangíveis. Disponível em: <https://bibliotecadigital.fgv.br/dspace/bitstream/handle/10438/13087/Disserta%C3%A7%C3%A3o_Final_Sergio_Muniz.pdf?sequence=1&isAllowed=y>. Acesso em: 23 jul. 2016.

que esse superlíder exista de qualquer jeito. E, por isso, continua a buscar freneticamente a fórmula para fazê-lo crescer e se multiplicar. Só nos Estados Unidos, por exemplo, as empresas investem US$ 14 bilhões por ano em programas de desenvolvimento de líderes – com resultados bem pouco animadores.[4] Minha hipótese é singela: como esse líder idealizado e sobre-humano não existe, ele é irreplicável.

É verdade que gosto de tentar pensar fora da caixa. No mínimo, rever tudo que está lá dentro. Sempre procuro outros ângulos para olhar a vida ao meu redor. Mas isso não inclui negar a realidade observável. Portanto, fiz toda essa argumentação até aqui, mas já alerto: nada disso quer dizer que eu advogue a inexistência ou a irrelevância da liderança corporativa. Bem ao contrário. Considero que os líderes existem, as empresas precisam muito deles e é possível treiná-los e adaptá-los (com respeito a alguns limites) às circunstâncias do negócio. Tenho absoluta convicção técnica disso: já fiz parte do time e vi vários líderes em ação. E aprendi muito com eles. É justamente por causa dessa minha percepção prática, então, que faço a proposta de tentar simplificar um pouco a qualificação[5] do líder. Ele não é super, hiper, mega, blaster... é gente como a gente, humano, mortal e, mesmo assim, capaz de capitanear grandes transformações na estrutura e na cultura organizacionais. O líder é quem faz isso acontecer.

DECIFRANDO O ENIGMA DA LIDERANÇA

Nos meus trinta anos de carreira, dos quais mais de vinte como líder de gestão de pessoas, tenho procurado olhar para o líder de um jeito "mais humano", cada vez mais simples, mais leve. Enfim, mais viabilizador de

---

4 McKinsey&Company. *Why leadership-development programs fail*, artigo de Pierre Gurdjian, Thomas Halbeisen e Kevin Lane publicado no McKinsey Quarterly, janeiro 2014. Disponível em: <http://www.mckinsey.com/global-themes/leadership/why-leadership-development-programs-fail>. Acesso em: 25 jul. 2016.
5 "Qualificação" é a palavra que prefiro, pois "competência" acumula definições e especificidades técnicas que não precisam entrar nesta conversa agora.

condições para que a liderança encontre seu canal de expressão. Por isso, procurei sintetizar todos aqueles adjetivos, atributos e competências e acabei chegando a uma qualificação única:

> O líder tem **visão sistêmica** e da **psicodinâmica corporativa**. Por isso, é capaz de desvendar o novo **contexto do negócio**, o que dá **propósito do trabalho** e leva a **resultados extraordinários** – para ele, para os outros e para a empresa.

Como o contexto é o pilar central desta definição, decidi chamar esta minha ideia de **Liderança Contextualizadora**.

Pode até parecer uma definição complexa, mas não é. A seguir, veremos ponto por ponto e depois aplicaremos o conceito a alguns casos nesse e nos próximos capítulos. Para mim, assim fica mais fácil de entender. Depois, você me diz o que achou.[6]

Visão sistêmica

O líder é capaz de perceber a interdependência entre as partes para o bom funcionamento do sistema como um todo. A analogia mais comum é com o corpo humano: são vários órgãos que funcionam ao mesmo tempo e em constante colaboração para promover a saúde e o bem-estar do organismo. Qualquer alteração em um órgão afeta os outros e compromete o bom funcionamento do sistema. Eu costumo dizer que só a pessoa realmente adulta é capaz de ter a visão dessa interdependência contínua. Quando crianças, somos dependentes; depois, na adolescência, a batalha é pela independência; apenas quando amadurecemos de verdade conseguimos

---

6 Para trocar ideias com o autor, envie e-mail para: sergioltpiza@gmail.com.

entender que somos todos interdependentes. É essa percepção adulta da interdependência das partes que dá ao líder a visão sistêmica. Ele sabe que cada decisão e cada ação terão efeitos – positivos e/ou negativos – em todas as outras partes do sistema. Consegue ver antes as engrenagens se movendo e o resultado que será obtido no final do processo. É isso que torna o líder um visionário. Ele formula uma promessa porque visualiza previamente a capacidade de o sistema fazer a entrega.

Psicodinâmica corporativa

Porém, além de as partes trabalharem integradas e colaborarem para o funcionamento do todo, o sistema corporativo é bem mais complexo do que isso. É preciso adicionar à visão sistêmica o conjunto de forças (visíveis, invisíveis, objetivas, subjetivas, psíquicas, sociais, políticas e econômicas[7]) que interfere no comportamento do indivíduo e na interação entre as pessoas do grupo. Com essa percepção do todo, o líder sabe que, além de interdependentes (como as partes do sistema), as pessoas nem sempre – ou a maior parte do tempo – se comportam de modo racional e objetivo. Todas aquelas forças atuam ao mesmo tempo sobre cada pessoa individualmente e nas interações do grupo – até mesmo sobre o comportamento do líder.

Essa dinâmica pode ter um efeito desagregador. Já o líder, ao contrário, precisa que todos da equipe estejam profundamente engajados no mesmo projeto e com o mesmo objetivo. Como? Na base de tudo está o estabelecimento de relações de confiança. Do líder com os liderados e dos liderados entre si. O que cria esse ambiente de confiança é a capacidade do líder para fazer a escuta ativa, ouvir sem julgar e estimular para que todos contribuam para construir alinhamento. Isso não é formar consenso, mas sim um exercício de confiança e escuta, em que acontece o que eu chamo de

---

[7] MENDES, A. M. (org.). *Psicodinâmica do trabalho*: teoria, método e pesquisas. São Paulo: All Books, 2007.

"piramidar" ideias: estimulada pelo líder, cada pessoa traz sua visão e tudo é sobreposto, formando uma nova articulação, um novo conceito, a melhor solução, o projeto inovador. Depois de pensar em conjunto piramidando ideias, as pessoas se empoderam e entram em ação, assumindo a propriedade das atividades e processos pelos quais são responsáveis. No time do líder, cada pessoa é adulta, capaz de reconhecer a interdependência das partes do sistema, pensar de forma inovadora e se engajar na ação. Vamos falar mais sobre confiança e engajamento ainda nesse capítulo, porque esses são temas realmente importantes.

Contexto do negócio

Aqui está o ponto central da qualificação do líder. Para assumir a liderança de um negócio, primeiro é preciso identificar as partes do sistema. Estão lá: estratégia, marca, cultura, modelo operacional, tecnologia, recursos financeiros e as pessoas. Vejo a organização como este conjunto de fatores. São estes elementos que dão o modelo do negócio. Mas por si sós, eles não garantem nada. É possível haver grande investimento de tempo, dinheiro e trabalho e o resultado ficar abaixo do potencial. Houve promessa, mas não entrega. Por quê? Porque provavelmente falta um nexo claro entre os elementos do modelo de negócio e o que ocorre na realidade operacional. Ou seja, existem pontos de conflito entre os elementos do modelo. Por exemplo: a cultura da empresa valoriza o empoderamento enquanto no dia a dia da operação o que vale é a hierarquia; ou a marca investe em sustentabilidade e responsabilidade social enquanto a operação continua a poluir o ambiente; ou então, o líder é aquele tipo carismático e envolvente, mas sem coerência na prática de valores. Nesse último caso, duvido que ele consiga o engajamento da equipe – de verdade.

Às vezes, uma razão mais sutil impede a entrega dos melhores resultados. Já vi casos, por exemplo, em que a organização tem dois ramos de atividade diferentes, mas que poderiam ser sinérgicos. Por mais óbvio que seja depois de desvendado, o nexo entre as duas operações escapa da percepção de todos. Até que o líder contextualizador enxergue a interdependência e a inter-relação entre as partes. É ele quem vai rearticular todos os elementos do modelo de negócio, criando um novo nexo entre eles. É assim que ele desvenda a visão do novo contexto do negócio, uma rede que interconecta todos esses pontos. Portanto: com sua visão sistêmica e da psicodinâmica corporativa, o líder rearticula os elementos estruturais da organização e desvenda um novo contexto para o negócio. Quanto mais harmoniosa for a interconexão entre os pontos, maior a chance de que esse contexto se traduza em propósito para o trabalho diário. A Figura 1.1 resume o processo até aqui:[8]

Figura 1.1 Líder contextualizador: articulação de um novo contexto para o negócio

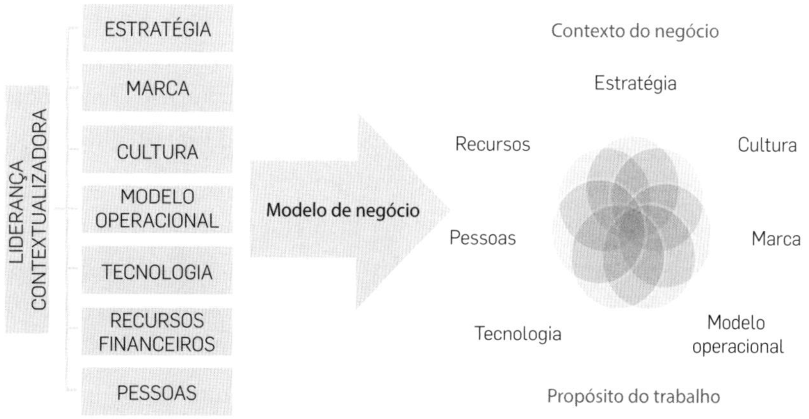

Fonte: O autor.

Propósito do trabalho

Se você não é – e nem será – herdeiro de uma fortuna bilionária, tem de trabalhar para viabilizar a vida. Fora quem faz parte desse grupo de

---
8 Compare depois com a Figura 2.1 no segundo capítulo (p. 35), para entender a "amarração" do modelo pelo líder de gestão de pessoas.

exceção, todo mundo tem necessidades, responsabilidades e... contas para pagar. Qualquer que seja sua profissão, é o seu trabalho que possibilita um ganho mensal para bancar seu estilo de vida. A gente não está discutindo aqui se deveria ser assim ou não. Nem conjecturando como a vida seria de volta ao Éden. Estamos diante de uma realidade: todo mundo precisa trabalhar. A questão aberta aqui é outra: você trabalha satisfeito?

Já ouvi gente dizer que quando o despertador toca, tem vontade de chorar. Todo dia aquela pessoa levanta da cama e vai para o sacrifício. Passa pelo menos oito horas dentro de uma empresa, *realizando* com má vontade algumas tarefas, *olhando* para o relógio, *esperando* a tortura terminar. É uma pessoa no gerúndio: está sempre *querendo* algo que não tem... Não é exagero. Há pessoas que têm aversão ao trabalho e não é pouca gente não. Com toda essa experiência que tenho em gestão de pessoas, percebo no ar. Nem precisa me dizer. Vejo no olhar, nos gestos, na atitude, no andar... a pessoa envia sinais de insatisfação permanente. O que falta para ela? Falta propósito, que faz toda a diferença entre o prazer e o sofrimento no trabalho diário.

O propósito precisa combinar duas dimensões: a individual e a do grupo. Vamos conversar bastante sobre a primeira dimensão nos próximos capítulos. Por enquanto, basta entender que a pessoa que tem propósito individual, ao ouvir o despertador pela manhã, abre os olhos e enxerga o sentido do seu dia de trabalho. Ela tem um projeto de vida, uma necessidade ou desejo que só pode ser realizado se ela levantar e for para o trabalho. O propósito individual é a coragem, o significado mais profundo e essencial daquele dia. Então, a parte chata – que todo trabalho tem – perde a importância, deixa de ser sacrifício e causa de insatisfação. Já o propósito de grupo é desvendado justamente pelo líder contextualizador. Ao articular um novo contexto para o negócio, ele compartilha essa visão com a equipe e promove o alinhamento entre os objetivos pessoais e os da empresa: "Nós estamos aqui nesse negócio que faz isso por causa daquilo e nosso objetivo conjunto é entregar o resultado XYZ". O propósito é a "cola" que une o time e mantém todo mundo engajado e alinhado na direção de um objetivo comum: os resultados extraordinários.

Resultados extraordinários

Para mim, os resultados do líder contextualizador são extraordinários porque estão em um ponto fora da curva normal do desempenho dos negócios. É "extra", fora, acima do habitual, do normal, é bem mais que ordinário. Qual é o perfil de empresa preferido pelos investidores na Bolsa de Valores? Não é preciso ser especialista do mercado, a resposta é óbvia: recebem mais recursos as empresas que entregam o que prometem. Por analogia, todo mundo prefere trabalhar com o líder que tem perfil contextualizador: ele faz a promessa e conduz a equipe até a entrega dos resultados extraordinários. Em alguns casos, já tive a oportunidade de mensurar um forte indicador da satisfação no trabalho e verifiquei que o líder contextualizador costuma fazer o *turnover* baixar. É que, ao oferecer contexto ao negócio e dar propósito ao trabalho, ele promove o engajamento e exponencializa a performance do time. É isso o que gera resultados extraordinários – para ele, para os outros e para a empresa. Individualmente, cada pessoa sente a própria motivação para investir no desenvolvimento de carreira e no aprimoramento da qualificação para se tornar também um líder contextualizador. Para a organização, o conjunto dessas motivações individuais e alinhadas ao objetivo do negócio é o que, de fato, acaba por agregar valor ao acionista. E, por fim, quando os *shareholders* e os demais *stakeholders* estão felizes, isso prenuncia uma compensação extraordinária para o líder. Entrega da promessa: resultados extraordinários para todo mundo.

PONTO DE PARTIDA: CONFIANÇA E ENGAJAMENTO

O engajamento é a maior força da Liderança Contextualizadora. Assim como é capaz de enxergar o todo e formar a visão sistêmica, ao desvendar o propósito do trabalho esse líder consegue que as pessoas do time se engajem nas atividades diárias com uma energia realmente transformadora. Mas isso não acontece do nada, não é um passe de mágica. Ao longo do tempo, o líder contextualizador fundamenta sua atuação em dois níveis simultâneos. O primeiro é o racional: quando desvenda um novo contexto para o negócio, ele conquista o engajamento lógico das pessoas. Essas passam a entender por que e como realizar o trabalho para atingir os objetivos prometidos. A ação lógica no presente é a garantia da entrega da promessa no futuro.

O segundo nível do engajamento é o emocional. Tem gente que acha que basta ser carismático para o líder conquistar corações e mentes. Mas o carisma pode ser só aquela primeira impressão positiva, que se esvazia rapidamente ao longo da convivência. O engajamento emocional, que é o mais poderoso, é o significado mais profundo que resulta das relações de confiança. Esse é outro tema que rende muita discussão e há muito tempo – dentro e fora do mundo corporativo. Em 1972, por exemplo, o prêmio Nobel de Economia, Kenneth Arrow, escreveu: "Praticamente toda transação comercial traz em si um elemento de confiança, pelo menos aquelas que se repetem ao longo do tempo. É plausível argumentar que muito do atraso econômico mundial pode ser atribuído à falta de confiança mútua".[9]

Tenho um colega de profissão e amigo, o Ney Silva,[10] que é outro defensor público do poder transformador da confiança. Segundo ele, essa é uma palavra que se escreve com três "Cs". Para estabelecer a relação de confiança com sua equipe e promover o nível mais profundo de engajamento, o líder precisa atuar cotidianamente com: **C**ompetência técnica, **C**oerência entre valores e atitudes e **C**uidado – com os outros e consigo mesmo. Esse último ponto merece uma observação. Todo mundo sabe o que é ter cuidado, atenção e valorizar os outros. Mas é comum, especialmente entre os líderes, que a pessoa não tenha o hábito de se deixar cuidar.

---

9 Arrow, K. – no artigo *Gifts and Exchanges*, publicado em *Philosophy & Public Affairs*, vol. 1, n. 4 (1972). Disponível em: <https://www.jstor.org/stable/2265097?seq=1#page_scan_tab_contents>. Acesso em: 31 jul. 2016. Trecho citado em tradução livre.

10 Engenheiro pelo ITA, Ney Silva é consultor e sócio da Corall, especialista em gestão de pessoas e transformação organizacional. Leia o artigo dele, "O impacto econômico da confiança", publicado no site da revista *Exame* em 23 nov. 2015. Disponível em: <http://exame.abril.com.br/rede-de-blogs/gestao-fora-da-caixa/2015/11/23/o-impacto-economico-da-confianca/>. Acesso em: 30 jul. 2016.

Isso quer dizer que a gente precisa ter a coragem de também ser o alvo do cuidado dos outros. Todo mundo precisa de um momento de repouso em um porto seguro, é a reciprocidade da confiança. Esse é o exercício da interdependência emocional.

LÍDER COM "H" DE HUMILDADE

Mas, em relação especificamente aos três "Cs" de confiança, eu ainda acrescentaria um "H" de humildade. Não aquela humildade meio subserviente, que revela um traço de sentimento de inferioridade ou de temor da autoridade alheia. Estou falando da humildade para ter coragem de ser autêntico. É com esse tipo de humildade que a gente demonstra que é confiável e cria o ambiente para dar e receber confiança – ouvir/escutar, cuidar/ser cuidado. Aprendi isso recentemente e foi uma experiência enriquecedora e, como gosto de contar histórias, vou compartilhar:

Eu postei um textão no Facebook sobre um tema e, como houve vários compartilhamentos, tive a ideia de fazer um evento. Coloquei lá no Facebook um convite para uma palestra, um encontro informal e despretensioso sobre o tema. Dia tal, tal hora, em tal lugar; quem puder, apareça. O que me deixou muito satisfeito e surpreso foi que apareceram umas 80 pessoas. Era muita gente para me ver e confesso que, por um instante, senti um frio subir pela espinha.
Analisei rapidamente a situação e entendi o que estava me intimidando. Quando a gente se propõe a fazer uma palestra, em geral, tem um público-alvo e os convidados são de um perfil definido: pessoas do seu relacionamento profissional ou seus amigos, mais velhos ou mais jovens. E o palestrante sempre adequa sua "fala" e seu comportamento à audiência. Por exemplo, quando estou na sala do conselho de administração de uma empresa, eu não sou igual ao professor que dá aulas na graduação de administração. Não é falsidade, é uma adequação

natural entre a fala e os ouvintes. O conteúdo não muda, muda a forma de falar. Para cada situação, a gente tem uma faceta.
Só que as pessoas que apareceram naquele evento não tinham nada a ver uma com a outra... Havia gente da minha família, amigos próximos, amigos só do Face, outros ainda mais distantes, ex-alunos e alunos da FGV, conhecidos do mercado, colegas com quem trabalhei há muitos anos, colegas atuais, uns tinham sido da minha equipe no passado longínquo, outros eram do meu time atual, havia ex-professor e até alguns dos meus líderes corporativos. Eu conhecia e gostava de todo mundo, mas eles não se conheciam entre si. Mais do que isso: não tinham nada em comum. E o frio na espinha era porque eu não sabia como devia ser "a minha fala" diante daquele público tão plural. Verdade, não havia na plateia mais de duas pessoas que fizessem parte da mesma "turma"... Entre o temor de enfrentar a situação desconhecida e o acelerador, optei por pisar fundo. Decidi ter a humildade de ser eu mesmo, ser absolutamente autêntico. Deixei de lado a vergonha e me expus em carne e osso. Eu me comportei como se estivesse dizendo: essa palestra é sobre algo que eu sei, mas eu sei que não sei tudo; há coisas que quero aprender, você me ajuda? E me senti livre, independente de quem estava me ouvindo. Logo depois, comecei a sentir que estava conseguindo mobilizar a atenção de todo mundo. Tive a humildade de revelar todas as minhas facetas ao mesmo tempo, sem medo das minhas vulnerabilidades e imperfeições. E foi assim que demonstrei que era confiável e criei o clima para estabelecer um diálogo baseado na confiança recíproca – mesmo diante de um grupo com pessoas tão diferentes. No fim, acabou sendo uma das palestras mais gratificantes que já apresentei.

Passei uns dias com essa história na cabeça, refletindo sobre essa questão da humildade e, claro, aproveitei para tentar tirar os olhos de dentro da caixa. Aprendo muito fazendo associações. A tal palestra me fez lembrar de outra situação profissional que vivi há muitos anos. Tive um chefe que, numa sessão de feedback, deu um toque muito legal para me ensinar a delegar. Como eu sempre fui muito exigente com a qualidade do trabalho, no começo da carreira vacilava um pouco na delegação. E aquele chefe me disse o seguinte: "Você é muito zeloso com o trabalho, e isso é ótimo. Mas você não vai conseguir fazer tudo sozinho, tem que aprender a confiar nas pessoas do seu time. Pense que alguém pode realmente ajudar você, pense que alguém da equipe pode até fazer aquilo melhor do que você".

Naquela época, esse feedback foi muito construtivo. Mas só hoje em dia é que entendi que meu chefe estava me propondo um exercício de humildade e reconhecimento da interdependência. Para aprender a delegar, tive de ser humilde para entender que não era o único que sabia fazer bem-feito. Além disso, tive de usar de novo a humildade para reconhecer que eu também dependia dos outros, pois não era capaz de fazer tudo sozinho. Esse foi o ponto de partida para eu criar uma relação de confiança recíproca com o meu time. Hoje, tendo vivido aquele episódio da palestra e depois de anos "piramidando ideias", cheguei à seguinte conclusão: para contar com toda força transformadora do engajamento racional *e* emocional de cada pessoa da equipe, o líder contextualizador precisa dos três "Cs" da confiança somados ao H da humildade.

LÍDER CONTEXTUALIZADOR EM AÇÃO

Antes de contar uns casos práticos que eu testemunhei de líderes contextualizadores em ação, vale a pena fazer uma observação: essa minha qualificação do líder é única e constante. Porém, para ir da promessa à entrega, pode haver a variação de algumas características que dependem diretamente do momento em que a empresa está no ciclo de negócio. Por exemplo: durante um processo de fusão ou aquisição, o líder contextualizador talvez precise ser mais resolutivo e assertivo; já em uma startup, quando a necessidade prioritária é inovação, outra característica desejável pode ser a capacidade de motivar e inspirar. No relato dos casos, vai ficar mais tranquilo observar essa necessidade de adaptação do líder às mudanças do cenário externo e/ou do ambiente interno da empresa.

Vou começar pelo relato de um caso de Liderança Contextualizadora que testemunhei quando trabalhava na Autolatina. E começo assim por dois motivos: primeiro, porque essa história é justamente um exemplo de líder contextualizador capaz de se adaptar depressa a um novo momento do ciclo do negócio. E, segundo, porque como a empresa não existe mais há bastante tempo, essa é uma das poucas vezes neste livro em que vou citar marcas. Nos outros casos, vou manter a confidencialidade das informações que poderiam identificar as empresas, a não ser quando tiver certeza de que não estou abordando nenhuma questão estratégica ainda relevante para o negócio.

Jogo rápido na mudança do contexto

Até o início da década de 1990, quando o governo Collor abriu o mercado, o setor automobilístico brasileiro era bastante fechado. A importação de automóveis estava inviabilizada porque se tornava caríssima. O Brasil vivia tempos de hiperinflação e a demanda interna tinha despencado. Havia três montadoras no país e, para tentar baixar custos e se tornar mais competitivas, duas delas fizeram uma *joint-venture*, a Autolatina: entre 1987 e 1996, nos mercados do Brasil e da Argentina, as duas empresas uniram suas operações. Porém, mantiveram separadas a identidade de marca, a rede de concessionárias para comercialização e o atendimento pós-venda. Durante a união das operações, na unidade de caminhões e ônibus, havia um líder que teve uma atuação brilhante. Foi ele quem despertou minha atenção para a importância do contexto do negócio. Ao unir a montagem dos veículos pesados das duas marcas, criou para os funcionários o conceito de fábrica-beliche. A planta teve que ser ampliada, mas ele fez isso em dois andares: o de cima montava a carroceria, enquanto o de baixo cuidava do chassi e do motor. No final da linha de montagem, as duas partes se encontravam e os montadores finalizavam o trabalho.

Aproveitando aquele momento, o líder também criou um novo tipo de operação, introduzindo no chão da fábrica as células de trabalho em uma época em que esse modelo ainda era novidade até mesmo no Japão. Com as células, ele empoderou e engajou os funcionários. Cada um passou a ser dono da totalidade do seu processo de trabalho. Cada um cuidava da qualidade, da manutenção, do fornecimento das peças no cronograma da montagem e da entrega no prazo para os clientes internos. Então, aquele líder havia articulado um novo contexto que era o seguinte: "No novo modelo de negócio da Autolatina, nossos caminhões e ônibus são montados em uma fábrica-beliche em que as tarefas são realizadas em células, sendo cada um o dono e o responsável de ponta a ponta por seu processo de trabalho". Fui testemunha. Dentro desse novo contexto, os funcionários viram o propósito e se apoderaram de seu trabalho. O resultado foi extraordinário: a produtividade aumentou, os custos caíram e a qualidade final dos produtos melhorou. Aquele líder contextualizador conseguiu maximizar a sinergia, explorando todo o potencial da união das duas operações.

Mas o ciclo das empresas é dinâmico: a solução ótima de hoje pode ser ruim amanhã. Então, veio o Plano Real em 1994 e o panorama econômico do país começou a mudar. Em 1996, as duas empresas decidiram desfazer a união das operações. Em outras palavras, primeiro quebraram dois ovos e fizeram uma omelete; depois, queriam voltar a ter os mesmos dois ovos intactos. Nesse novo cenário, aquele contexto criado para a unidade de caminhões da Autolatina deixou de fazer sentido. Era preciso refazer a articulação dos elementos do modelo do negócio e oferecer ao time um novo contexto. Mudar o discurso comprometeu a credibilidade do líder? Claro que não. Ele estava apenas se adaptando rapidamente ao novo momento do ciclo do negócio. E eu o vi outra vez reconstruir o propósito do trabalho de acordo com o novo objetivo. Ele repactuou e recontratou o engajamento em suas duas dimensões: lógico-cognitivo e emocional, e fez a unidade seguir adiante com seus melhores resultados. Até que veio o ciclo da reengenharia. E o líder decidiu sair da empresa. Autocrítico, ele próprio reconheceu que chegara a hora de seus sucessores assumirem a liderança. Perguntei para ele por que queria sair e ouvi dois motivos: "Esse novo momento da empresa não tem mais nada a ver comigo, não vejo mais sentido. Então, não tenho o que compartilhar. E a empresa também não precisa agora de um líder com o meu perfil". Tempos depois, soube que ele encontrou seus novos propósitos de vida e trabalho.

A soma de tecnologia e conhecimento

Essa empresa estava entre as líderes do setor de *contact center* e se estruturava em quatro segmentos de atuação: atendimento telefônico ativo, atendimento telefônico passivo, promotores de vendas (trade marketing) e serviço de atendimento ao cliente via internet. Sob o ponto de vista tecnológico, tinha capacidade para operar todos os canais de contato com os clientes – consumidores finais e trade. Sob o ponto de vista do conhecimento, havia o banco de dados e o registro histórico do comportamento do consumidor de cada empresa cliente. Como essas duas dimensões eram encaradas separadamente, a empresa há anos se posicionava no mercado como uma competente vendedora de pacotes de contato. Os contratos eram fechados por volume. Quanto mais contatos, mais unidades de pagamento. Foi assim até a chegada de um novo líder que, com sua visão sistêmica, criou um novo contexto para o negócio. Segundo esse líder contextualizador, aquela não seria mais apenas uma empresa de *contact center* na qual trabalhavam pessoas pagas para passar o dia inteiro contatando o cliente. Ele rearticulou os elementos do modelo do negócio e chegou a um novo contexto, que foi o seguinte: "Nós somos uma consultoria de soluções de relacionamento capaz de maximizar o valor da base já instalada de consumidores dos nossos clientes. Somando nossa tecnologia e conhecimento, podemos manter a carteira ativa e ainda vender mais para cada consumidor". Em vez de volume diário de contatos, portanto, o que se passou a pedir aos funcionários era a conexão entre as duas dimensões do negócio: tecnologia de canais e conhecimento do comportamento do consumidor para traçar novas abordagens. Essa mudança de contexto resultou numa grande alteração no clima organizacional. Por ser porta de entrada no mercado de trabalho, é comum que as empresas de *contact center* tenham alto índice de *turnover*. Apenas com essa mudança de contexto, em apenas um ano, registrei 10% de queda desse indicador – o que para o setor de *contact center* é realmente um milagre.

Novo contexto dobra valor do negócio

Neste terceiro relato, a empresa tinha uma operação bastante rentável e verticalizada. A partir de duas atividades em comum, uma abundante produção própria de matéria-prima agrícola e a primeira etapa de beneficiamento do insumo, o grupo se dividia em dois: o segmento A era exclusivo, sofisticado, de alta tecnologia, muito competitivo e lucrativo – aqui a empresa era líder com 75% do mercado global –, enquanto o segmento B era bastante simples e de baixa tecnologia. Apesar de a lucratividade ser boa, havia muitos concorrentes locais com qualidade similar no produto final. Durante anos houve na empresa uma discussão meio bizantina: o que fazer com o segmento B? Desinvestir? Vender? Fechar? Era o "primo pobre", o patinho feio de quem todo mundo queria se livrar. Na visão de muita gente lá dentro, o segmento B parecia não combinar com a cultura de inovação, competência e competitividade da organização.
Até que o grupo contratou um novo CEO e ele conseguiu enxergar nos segmentos A e B a totalidade de um sistema. Com essa visão integradora, ele expressou uma percepção bem simples, mas que ninguém tinha tido até então: era o segmento B que viabilizava a alta rentabilidade do segmento A. A empresa dispunha em abundância de um ativo biológico

que estava subutilizado: por isso, era preciso investir mais no segmento B e até mesmo criar um segmento C, avançando mais uma etapa no processo de beneficiamento. O objetivo era escoar a alta produtividade da matéria-prima agrícola e diluir ainda mais os custos ao longo de todo processo de produção. O segmento A de alta tecnologia ficaria mais competitivo no mercado global onde já era líder, e os segmentos B e C também poderiam avançar na participação no mercado local. Foi a partir desse novo contexto do negócio que ele fez a promessa de resultados extraordinários: dobrar o valor de mercado do grupo em três anos. Prometeu e cumpriu. Quanto mais vejo líderes contextualizadores em ação, mais me convenço de que eles são como Colombo, mestres na arte de colocar o ovo em pé. E, depois, fazer acontecer.

FICA A DICA: DECIDIR OU AGIR?

Passamos a vida inteira tomando decisões.[11] É inevitável. Mas acho que tem uma fase em que decidir é especialmente complexo. Você está lá, mal tomou consciência da própria autonomia, e chega a hora de escolher o que fazer. Que estilo de vida vai querer ter? Que profissão? Que trabalho? OK, nenhuma dessas decisões é irreversível. Mas você sabe que vai ter efeitos – bons e/ou ruins – duradouros. Então, é bem natural que haja dúvidas e indecisões. Se estiver nessa fase, nada de pânico. Use o tempo a seu favor. Não tome decisão nenhuma, mesmo que haja muita pressão à sua volta. Espere, dê um tempo. Pense bem em todas as possibilidades. Peça uma ajuda, converse. Tente achar outras perspectivas. Você pode acabar descobrindo até que é a caixa que está errada. É por isso que gosto da frase do Gladwell que coloquei no começo deste capítulo: para pensar fora da caixa de verdade a gente tem que reexaminar até a própria caixa.

---

11 Vamos falar bastante sobre isso no Capítulo 5, "Sua única escolha é escolher".

Esse é o momento em que a vida lhe oferece todas as opções... Menos uma: ficar parado. Quem sabe, em vez de decidir imediatamente, você precise conhecer um pouco mais da vida. Experimentar, analisar, testar. Vá piramidar ideias por aí. Tente aquele estágio que você acha que vai detestar... só para ver se detestará mesmo. Não enxergou o propósito? Vá estudar um semestre em outro país. Você tem tempo para escolher. Aproveite o momento para aprender... Só não dá para ficar entre o medo da vida e a preguiça de batalhar pelo seu propósito. Aliás, qual propósito? Se não sabe ainda, vá descobrir! Sendo jovem, sempre dá tempo para escolher outra faculdade. Ou optar por um emprego em um setor diferente, com outro perfil de empresa. Só não pode é não fazer nada, não aprender nada, não ter prazer com nada...

TESTE FINAL DE APOIO DIDÁTICO

REFLITA E RESPONDA:

1. Na prática, não dá para o líder ser aquele super-herói, aquele ser sobre-humano. Por isso, para simplificar, qual é a qualificação do líder contextualizador?
2. O líder contextualizador oferece à equipe um novo contexto de negócio, que é compreendido por todos. Quais elementos da estrutura da empresa ele articula para desvendar o contexto do negócio e o propósito do trabalho?
3. Existem dois níveis de engajamento, o lógico e o emocional. Como o líder contextualizador consegue conquistar todo o engajamento da equipe?
4. No corpo humano, todos os órgãos trabalham em conjunto para fazer o sistema funcionar em harmonia. Como essa ideia se aplica à Liderança Contextualizadora?
5. Ninguém consegue ser lógico e racional o tempo todo – nem mesmo o líder. O que impede que a gente tome sempre as melhores decisões – mesmo o líder contextualizador?

2

O PAPEL DO RH CONTEMPORÂNEO

> O papel de cada um está inextrincavelmente associado ao comportamento e à ação (...) todo mundo que encontra, assume e exerce seu papel com base na contribuição que pode dar ao sistema e está disposto a se responsabilizar pelo que faz, está agindo como líder.
>
> John Bazalgette[1]

O que faz que o atual líder de GP seja tão diferente daquele chefe do departamento pessoal (DP) de sessenta anos atrás? Não dá para negar que, além da passagem do próprio tempo, houve aqui um processo evolutivo qualitativo: a imagem dos profissionais da área é hoje muito mais positiva. Lá na década de 1960, na expansão da industrialização no Brasil, o chefe do DP era visto como um burocrata sem formação específica, que vivia afogado em papelada. Escondido atrás de pilhas de carteiras de trabalho, era ele quem cuidava das contratações, demissões, contribuições e férias, além de enfrentar todos os meses o mais cruel dos desafios: pagar o salário de todo mundo em dia – sem computador para ajudar. A chegada dos gigantescos *mainframes* no início da década de 1970 deu um alívio no DP.

---

[1] John Bazalgette – consultor sênior no Grubb Institute (Reino Unido) em seu artigo *LEADERSHIP: The impact of the full human being in role*, publicado em 24 set. 2009. Disponível em: <http://www.crossfieldsinstitute.com/wp-content/uploads/2014/10/John-Bazalgette-J-L-Leadership-the-impact-of-the-full-human-being-in-role.pdf>. Acesso em: 07 ago. 2016.

Literalmente, a tecnologia abriu tempo e espaço na agenda para começar a discussão em torno da questão essencial: qual é o papel do profissional de recursos humanos nas organizações?

O debate acalorado em torno dessa pergunta a partir da década de 1980, quando ficou para trás – feliz e definitivamente – a era do chefe do DP, deixou aberta a porta para os gurus e seus modismos corporativos. Desde então, de onda em onda, o profissional de RH já foi chamado de consultor interno, parceiro de negócios, agente de mudança, catalisador, fornecedor de serviços, modelador da cultura corporativa... Algumas dessas expressões, inclusive, talvez você só conheça em inglês. Toda essa conversa, porém, teve seus méritos. Ao longo do tempo, as múltiplas contribuições do líder de RH[2] para o negócio ganharam visibilidade, em especial nas áreas de gestão de mudança, treinamento e aconselhamento. Mesmo assim, meu objetivo aqui não é repassar com você toda a literatura e os conceitos discutidos nas últimas décadas. Como já fiz em relação à liderança no Capítulo 1, vamos direto ao ponto que interessa e que é bem mais recente: a polêmica armada entre Ram Charan e Dave Ulrich, com foco direto na área de recursos humanos.

Em 2014, foi Charan quem atirou a primeira pedra. Logo na abertura de um artigo,[3] lançou a provocação, afirmando que "já era hora de dizer adeus ao departamento de recursos humanos". Seu argumento era que, em conversa com os CEOs, muitos se diziam desapontados com a performance dos líderes de RH, que não conseguiam atuar de modo realmente estratégico. Para Charan, já que a área mantinha uma visão interna só focada em processos, era melhor dividi-la em duas: uma encarregada de administrar compensação e benefícios, respondendo para o gestor financeiro (CFO), e outra voltada ao desenvolvimento das competências dos funcionários, com reporte para o CEO. No século XXI, era o que restava ao RH, segundo Charan.

---

2 Quando falo em líder de RH neste livro, estou me referindo ao principal executivo da área, o profissional que integra a diretoria executiva e reporta direto ao CEO ou o líder de RH de uma subsidiária independente de um grande grupo corporativo.

3 Ram Charan no artigo "It's Time to Split HR" na Harvard Business Review, julho-agosto de 2014. Disponível em: <https://hbr.org/2014/07/its-time-to-split-hr>. Acesso em: 08 ago. 2016.

Ulrich não deixou por menos e, no mesmo ano, saiu em defesa dos profissionais de RH, publicando um artigo[4] em resposta àquela provocação. De acordo com ele, construindo uma visão de fora para dentro (a partir dos clientes), os profissionais de RH podem ser excelentes na entrega de valor pela gestão de talentos, cadeia de sucessão de líderes e das capacidades organizacionais. Além disso, logo a seguir, Ulrich publicou outro texto,[5] enfatizando que o fundamental para o sucesso do negócio era a existência de uma sólida parceria entre o CEO e o líder de RH. Embarcando nessa ideia, exatamente um ano depois de iniciar a polêmica, Charan fez mais um artigo.[6] Dessa vez, declarando que o CEO, que considera o capital humano como a principal fonte sustentável de diferenciação competitiva, deve encarar com a máxima seriedade o fortalecimento da área de recursos humanos. Pronto: estava selada a paz entre Charan e Ulrich – e, de quebra, com os profissionais de RH de todo o mundo.

O CEO E O LÍDER DE RH: ALIANÇA VITAL

Criada e resolvida a suposta polêmica entre Charan e Ulrich, os dois acabaram chegando a um ponto comum: a necessidade de uma sólida aliança entre o CEO e o líder de RH. Para mim, isso é vital para levar o negócio a resultados extraordinários. Sem essa parceria, o mais comum é que o CEO tenha uma abordagem mais tradicional da gestão de pessoas, deixando o líder de RH restrito às ações táticas, com foco especial

---

[4] Dave Ulrich no artigo "Do Not Split HR - At Least Not Ram Charan's Way" na Harvard Business Review, julho de 2014. Disponível em: <https://hbr.org/2014/07/do-not-split-hr-at-least-not-ram-charans-way>. Acesso em: 08 ago. 2016.
[5] Dave Ulrich e E. Filler no artigo "CEOs and CHROs, crucial allies and potencial successors". Korn Ferry Institute, outubro de 2014. Disponível em: <http://www.kornferry.com/institute/ceos-and-chros-crucial-allies-and-potential-successors>. Acesso em: 10 ago. 2016.
[6] Ram Charan, D. Barton e D. Carey no artigo "People Before Strategy: New Role for the CHRO" na Harvard Business Review, julho-agosto 2015. Disponível em: <https://hbr.org/2015/07/people-before-strategy-a-new-role-for-the-chro>. Acesso em: 09 ago. 2016.

na administração do clima organizacional. Então, o que poderia ser uma aliança estratégica, se resume ao seguinte: quando lhe falta visão sistêmica, o CEO toma decisões que prejudicam o clima organizacional e deixa a cargo do RH a adoção apenas de medidas paliativas. Para exemplificar, vou contar rapidinho uma história:

> Havia um CEO muito competente, muito assertivo e muito bem-humorado... Só que não tinha um conceito lá muito bom sobre a área de recursos humanos. Com certeza, ele deve ter sido um dos CEOs com quem Charan conversou antes de propor o fim do RH. Senhor absoluto de seus domínios, ele olhava para toda proposta vinda da área como mais um "mimimi". Bonachão e sorridente, chegou a apelidar o RH da empresa de "ERRA"H. Para aquele CEO, a missão de RH era "organizar umas festas para elevar a autoestima dos funcionários...". Então, era bem pouco provável que o líder de RH e ele conseguissem estabelecer uma parceria estratégica em favor dos melhores resultados para a empresa.
> Só que a dinâmica dos negócios trouxe uma crise: era preciso reverter depressa a tendência de queda de alguns indicadores. E aí, em vez de ficar todo choroso, reclamando que não era visto como parceiro estratégico, o líder de RH estruturou e apresentou ao CEO um plano que chamou de "ACERTA"H. Que, para resumir, era o seguinte: "Contratar as pessoas certas, na quantidade certa, para fazer a coisa certa, da forma certa, sentindo-se bem por trabalhar na empresa certa e, ainda por cima, executar tudo isso com os custos certos". A reação imediata do CEO foi: "Esses 'custos certos' aí você já pode ir cortando pela metade!". A má notícia: essa resposta era a prova da resistência dele em relação à contribuição estratégica de RH. O final feliz: o plano "ACERTA"H foi implementado com sucesso, conseguindo elevar o indicador de produtividade em doze meses. Dali para frente, o CEO e o líder de RH conseguiram construir uma parceria estratégica. Embora tenha demorado mais uns três anos para os dois terem uma relação de confiança recíproca... e autêntica.

Não duvido que, antes de propor o fim da área de recursos humanos, Charan tenha realmente ouvido de muitos CEOs observações desapontadas sobre a visão pouco estratégica dos executivos de RH. Por outro lado, também é bem comum escutar profissionais da área se queixando de que o CEO não abre espaço para que o RH tenha uma atuação mais estratégica. No dia a dia, um reclama do outro, em vez de os dois se unirem. Perdem os dois e perde a organização. Diga-se apenas a favor do líder de RH que ele depende um pouco mais do perfil de atuação do CEO. Quando tem uma postura mais tradicional, o CEO costuma ser do tipo que acha que os "recursos humanos" têm que produzir mais e melhor para satisfazer os clientes e ampliar a participação de mercado da empresa. Ou seja, as pessoas só interessam como meio para atingir um único fim, que é aumentar a produtividade e a lucratividade.

E aqui já me apresso em afirmar o seguinte: não vejo nada de errado com essa perspectiva mais tradicional. As empresas existem para produzir e lucrar e, de preferência, conseguir fazer isso usando cada vez menos recursos. Estou plenamente de acordo com a ideia de que o negócio precisa ser eficiente e eficaz – e inovar e se adaptar para garantir sua competitividade e longevidade. Feliz ou infelizmente, porém, minha experiência mostra que, apesar de não estar equivocada, essa visão tradicional de "recursos humanos" é muito limitante da expressão de todo o potencial das pessoas. Sem espaço para compreender e exercer seu propósito, o mais provável é que todo sucesso alcançado pelo grupo seja momentâneo, pontual e efêmero.

É exatamente isso que acontece, por exemplo, quando o CEO faz a "empresa dos sonhos" e, depois de um ou dois anos, não consegue entender porque os resultados não são mais tão bons como antes. Não é que o sonho vira pesadelo, é que a organização fica sem vitalidade para se adaptar às mudanças inevitáveis do cenário interno e externo. A visão tradicional de "recursos humanos" parece que ainda acredita que existe um modelo de atuação inserido em *ceteris paribus*.[7] Assim como o líder sobre-humano e super-herói, isso simplesmente não existe. É mais um mito corporativo.

Em outras palavras, a visão tradicional de "recursos humanos", se não está errada, também não é suficiente por si só para fazer a empresa atingir e sustentar resultados extraordinários a longo prazo. Em minha opinião e pela minha experiência, para compor o papel do RH contemporâneo, o que falta não é jogar fora a perspectiva tradicional – nem muito menos acabar com o RH. O que mais sinto falta é a combinação da parceria estratégica (visão sistêmica) entre o CEO e o líder de RH com uma visão consciente da psicodinâmica das relações interpessoais na organização. É assim que o líder de RH se torna o líder de GP (gestão de pessoas) e passa a atuar junto com o CEO, como dois líderes contextualizadores, para criar as condições viabilizadoras da transformação da cultura da empresa.

OS HUMANOS NÃO SÃO RECURSOS

A questão, portanto, é que, além de se sentar à mesa e discutir a estratégia da empresa e as iniciativas de sua área necessárias para atingir as metas do negócio, o líder de GP tem de trazer o tema "pessoas" para o centro da discussão. Antes de mais nada, não se fala mais em "recursos humanos". As pessoas não são mais um entre os recursos utilizados pelo CEO para atingir os fins organizacionais. No dia a dia da administração e da operação, isto é, no trabalho diário, cada pessoa é o sujeito da articulação de todos os recursos da empresa. Em vez de discursar sobre empoderar funcionários que são vistos e se sentem meros "recursos", acho que devemos entender cada pessoa como sujeito de toda ação que gera resultados. Por isso, na minha proposta de modelo para a gestão de pessoas, o líder de GP traz os indivíduos para o centro da rede formada pelos elementos da estrutura da empresa. Afinal, são elas que

---

[7] Vamos lá, moçada: na faculdade, vocês já ouviram essa expressão latina. Quer dizer "mantidas todas as demais condições inalteradas". Na prática, isso nunca acontece no ambiente de negócios, que é fundamentalmente dinâmico, certo?

estão à frente de todas as etapas do processo (Figura 2.1) que geram e mantêm a competitividade do negócio. Compare a Figura 1.1 no primeiro capítulo (p. 15) com essa e observe que, enquanto o líder contextualizador rearticula todos os elementos da estrutura da empresa para revelar o novo contexto do negócio, é o líder de GP quem traz as pessoas para o centro da rede:

Figura 2.1 Modelo de atuação para o líder de gestão de pessoas

[Diagrama: No centro, "Pessoas" cercado por elementos — Contexto do negócio, Estratégia, Clientes consumidores, Aprendizagem, Recursos, Cultura, Pessoas qualificadas, Marca, Exceder expectativas de clientes e consumidores, Liderança, Tecnologia, Modelo operacional, Serviços e produtos superiores, Propósito do trabalho. À direita: COMPETITIVIDADE.]

Fonte: O autor.

Nesse meu modelo de gestão de pessoas, para atuar como líder contextualizador à frente da área, apoiando estrategicamente o CEO, o líder de GP precisa manter ao mesmo tempo a visão sistêmica e a visão da psicodinâmica das relações interpessoais na empresa. Dentro da perspectiva sistêmica, além de recrutar, treinar, desenvolver e reconhecer as pessoas, a ênfase do trabalho recai sobre dois focos. Um deles é a **liderança**, tanto para promover o desenvolvimento de mais e novos líderes contextualizadores quanto para dar suporte ao CEO na formação e na disseminação interna do contexto do negócio. O outro é a **aprendizagem**, que é a característica mais básica e fundamental de uma organização sustentavelmente competitiva. Para responder, inovar, se antecipar à dinâmica do mercado ou mesmo inventar demandas e segmentos, as pessoas da empresa têm de estar permanentemente dispostas a aprender tudo de novo (reaprender o antigo) sobre tudo que é novo (de novo).

A relação entre empresa e o mercado não é um cenário estático como nas apresentações em PowerPoint, não é um momento, é um *continuum*... e traz mudanças constantes, suaves e/ou abruptas. É a soma da disposição à aprendizagem de todas as pessoas, o que forma a capacidade de adaptação da empresa às mudanças. O conceito de adaptabilidade aqui é, sim, o mais darwiniano possível. Cuidado, não aquela ideia equivocada de que "é o mais forte que vence". De acordo com Darwin, a seleção natural assegura a evolução contínua e a sobrevivência das espécies capazes de "melhor se adaptar às condições de vida".[8] Por analogia, o negócio mais longevo e sustentável é aquele que consegue melhor se adaptar à dinâmica do mercado. Ou seja, uma empresa gerida e operada por pessoas dispostas a continuar aprendendo... para sempre.

Ainda sob o olhar sistêmico, existe uma série de indicadores para avaliar o grau de sucesso – ou insucesso – da implementação de um plano estratégico de RH. No entanto, considero que o critério mais seguro e confiável é a medida do "abastecimento da cadeia de sucessão de líderes". Aprendi isso com um líder contextualizador (que eu nem chamava assim naquele tempo), mas admito que foi de um jeito meio drástico:

> Logo que cheguei a uma empresa e assumi a posição de líder em RH, me deram a notícia de que dali a duas semanas o CEO global (genro do fundador) faria uma visita à empresa no Brasil. E eu, que ainda estava me integrando ao novo empregador, recebi a missão de estruturar e apresentar a ele tudo que estávamos fazendo em RH. Como acabara

---

[8] Vale dar uma lida rápida nessa definição original de Charles Darwin. Há muitas reedições de *A origem das espécies*, a que tenho disponível é a publicada por Villa Rica Editoras Reunidas, Belo Horizonte, 1994, tradução de Eugênio Amado. Essa definição está na página 37: "Como de cada espécie nascem muito mais indivíduos do que o número capaz de sobreviver e como, consequentemente, ocorre uma frequente retomada da luta pela existência, segue-se daí que qualquer ser que sofra uma variação, mínima que seja, capaz de lhe conferir alguma vantagem sobre os demais, dentro das complexas e eventualmente variáveis condições de vida, terá maior condição de sobreviver, tirando proveito da seleção natural".

de entrar na empresa, passei dias mergulhado no PowerPoint. No dia da minha apresentação, o supergenro veio, viu, ouviu e só me fez uma pergunta: "Por tudo de positivo que você falou e mostrou do nosso RH aqui no Brasil, não consigo entender... Por que a cadeia de sucessão de líderes não é melhor?". Como é mesmo impossível explicar o inexplicável, ele olhou de novo para mim e concluiu: "Quando eu voltar ao Brasil no ano que vem, só quero ver um slide: esse do pipeline de sucessão de líderes atualizado com um resultado melhor...". E mais não disse porque não precisava para eu aprender que esse é o melhor indicador para avaliar o desempenho da área de RH de uma organização: líderes contextualizadores dispostos ao aprendizado contínuo são como células tronco, dão origem a tudo que é imprescindível para manter o negócio competitivo e sustentável.

ENTRE A ESTRATÉGIA E O COACHING

Entre tantas discussões em torno do papel do RH, existem dois argumentos que são colocados quase como antagônicos: de um lado, está a corrente favorável ao RH parceiro estratégico e, de outro, aqueles que defendem a ideia de que a missão do profissional de RH é atuar como um coach corporativo. Espero já ter deixado claro até aqui que minha posição está em algum ponto entre estas duas proposições. É que fazendo parte da equipe, sendo também um dos atores do negócio, não acredito que seja possível ser um coach puro. Capturado pelas circunstâncias corporativas, o profissional de RH também tem interesses, disputas internas... Não dá para exigir que ele consiga se abstrair de tudo isso e possa atuar como um coach legítimo. Humanamente, quem é capaz de oferecer o melhor aconselhamento a alguém, quando também tem interesses envolvidos no resultado? Seria zen demais. Então, como já disse antes, para mim, o papel do RH contemporâneo é justamente a combinação do parceiro estratégico (visão sistêmica) com a abordagem psicodinâmica. Então, falta agora falar um pouco mais sobre como esse sujeito que eu chamo de líder de GP aplica sua visão da psicodinâmica na prática.

Em primeiro lugar, sinceramente, não acho que ele seja o único capaz de compreender e maximizar as aplicações da visão da psicodinâmica das relações interpessoais na empresa. Não dá, porém, para desconsiderar que são os profissionais da área que têm o perfil, a formação e as ferramentas mais adequadas para tomar consciência e explorar aquilo que já defini no Capítulo 1 como "o conjunto de forças (visíveis, invisíveis, objetivas, subjetivas, psíquicas, sociais, políticas e econômicas[9]) que interfere no comportamento do indivíduo e na interação entre as pessoas do grupo". Não é regra, é uma observação empírica: a gente que é de GP costuma ter uma tendência mais forte para se questionar e buscar o autoconhecimento – e tentar conhecer melhor também os outros. É uma espécie de "curiosidade congênita" sobre o que se passa na cabeça das pessoas.

Como sou ferrenho adepto dessa "curiosidade", desde minha dissertação de mestrado na Escola de Administração de Empresas da FGV/SP, na década de 1990, até minha tese no INSEAD em 2015, sempre que reflito sobre o que hoje chamo de gestão de pessoas, costumo adicionar ao tema um pano de fundo, vamos dizer assim, um pouco mais filosófico. Associo a discussão sobre o papel de RH ao mito da esfinge (não precisa ir ao Google, leia o box sobre Édipo e a esfinge nesse capítulo), que representa, para mim, nossa jornada de autoconhecimento. Ou seja, nossa busca de respostas para as questões mais essenciais da existência. Quem sou? O que faço aqui? Para onde vou?

Faço essa associação porque considero que hoje os líderes de RH podem ter um papel crucial no processo de abrir as empresas para essa abordagem e apoiar as pessoas a decifrar seus próprios enigmas, a descobrir seus propósitos. O autoconhecimento é a chave para a gente encontrar o sentido e o propósito do trabalho diário. É isso que transforma cada um em líder de si mesmo e em uma pessoa capaz de também liderar os outros. Ninguém lidera ninguém

---

9 MENDES, A. M. (org.). *Psicodinâmica do trabalho*: teoria, método e pesquisas. São Paulo: All Books, 2007.

sem antes assumir a liderança e entrar em ação na própria vida. Dê uma lida novamente na frase de Bazalgette em destaque no começo deste capítulo e é provável que agora você tenha uma compreensão mais ampla do papel do líder. Mesmo que seja o líder apenas de si mesmo.

Portanto, estou falando de um processo comum a todos nós, mas que aqui se aplica ao líder de GP. A busca pelo autoconhecimento é o que o leva à descoberta do próprio propósito de vida e molda o exercício desse papel sob a abordagem psicodinâmica. Para o líder de GP, esta é uma das chaves para apoiar o CEO e potencializar o contexto do negócio. Entre os papéis do líder de RH, está ajudar a construir a cultura saudável da organização, ou seja, um lugar onde todos sejam estimulados a se autoconhecer e desfrutem de relações autênticas e de confiança. É ele também quem não deixa o CEO perder de vista que a saúde do sistema depende da saúde de cada órgão e de cada célula. É ele que fica permanentemente atento para compreender o que está além das atitudes aparentes. É ele que traz à tona questões subjacentes e possíveis conflitos, além das propostas de conciliação dos interesses de todos. E, além disso, levanta pontos que vão além do estritamente racional. Por outro lado, é ele também quem trabalha estrategicamente para disseminar o contexto de negócio, criando um nexo comum. Esse nexo é a "cola" que mantém todos realizando esforços para atingir o mesmo objetivo estratégico. Falando assim, tudo parece meio conceitual demais. Então, vamos à prática, com mais uma história:

> Já contei o caso do CEO que conseguiu maximizar a sinergia[10] entre dois segmentos de negócios; um deles sofisticado, com alta tecnologia, muito competitivo e lucrativo, e o outro bastante simples, com pouca tecnologia e boa lucratividade. Para atingir esse objetivo, revelando o propósito do trabalho diário dos funcionários, ele articulou um novo contexto para o negócio – uma abstração lógica, que deu outra diretriz comum ao grupo. Só que o contexto nem

---
10 Releia no Capítulo 1 a seção "Novo contexto dobra valor do negócio" (p. 25).

sempre é uma ideia fácil de "traduzir" para o conjunto de pessoas da empresa. E, se nem todo mundo entende, nem todo mundo enxerga o propósito e, sem propósito, o trabalho deixa de ser direcionado para o objetivo estratégico. Não dá para deixar ninguém dentro da empresa trabalhar o dia inteiro sem saber para quê. Ninguém pode trabalhar sem nexo. Então, como líder de GP, esse foi o desafio que me coloquei naquela época: "traduzir" para todos os segmentos de funcionários o novo contexto do negócio.

Minha missão estratégica era usar a abordagem psicodinâmica para difundir na empresa a compreensão do novo contexto criado pelo líder. Como sempre acreditei que as melhores soluções não precisam ser necessariamente mirabolantes, optei pela simplicidade. Com a ajuda do time, criamos um jogo de tabuleiro, distribuído a todos os funcionários – sem exceção. A cada jogada, a sinergia entre os dois segmentos de negócios ficava mais clara. Chegamos a organizar uma competição interna com prêmios para os vencedores. Mobilizamos a equipe em torno da "brincadeira". Não vou entrar em detalhes da operacionalização completa da iniciativa. Basta a gente chegar ao resultado. Contando com funcionários que compreendiam o propósito do trabalho diário, o CEO conseguiu fazer a entrega de sua promessa: em três anos, dobrou o valor do grupo.

Como aquela iniciativa estratégica para disseminar o contexto do negócio deu muito certo, investimos mais um pouco para tornar o jogo virtual e colocá-lo na intranet. De tempos em tempos, era feito um novo torneio com prêmios atraentes para as diferentes faixas etárias. Mais do que isso, incorporei o jogo ao programa de integração de novos funcionários. Para mim, como líder de RH, o "game" do contexto do negócio era uma das prioridades da área. Nunca estive muito preocupado, por exemplo, que o funcionário conhecesse a dimensão do nosso negócio global. Quantas subsidiárias, em quantos países, quantos funcionários... Isso, se um dia ele precisar, encontra fácil nos relatórios corporativos e nas apresentações institucionais. Como líder de RH, o que quero é que cada pessoa saiba por que e para que ela levanta de manhã e vai trabalhar. E aquele "joguinho" atingiu esse objetivo estratégico. Não se deve desconsiderar o valor da diversão para o aprendizado.

Além de ser essencial para o cumprimento de seu papel estratégico, para o líder de GP, a abordagem psicodinâmica também facilita – e muito – a convivência diária. Às vezes baixa uma atmosfera que chamo de "inhaca corporativa"... É inevitável, acontece de vez em quando em toda empresa, por mais saudável que seja o ambiente. Sabe aquele dia em que você está lá, na sua, trabalhando numa boa e, de repente, entra na sua caixa postal um e-mail malcriado? Ou, então, no meio de uma reunião, explode uma discussão meio agressiva demais entre os participantes? Ou, pior ainda, você vai pedir a colaboração de um colega e, de repente, do nada ele começa a reagir com pau e pedra? Quando a gente não costuma exercitar a inteligência emocional, o primeiro impulso é devolver na mesma moeda. E aí está instalada a república do olho por olho. Ou seja, o cara maltratou você e vai levar o troco em dobro – agora mesmo ou na primeira oportunidade. E aí a coisa toda vai de "inhaca" para "zica". Como isso é cumulativo, tem o potencial de romper os sistemas e processos organizacionais. Em outras palavras, queda de produtividade e competitividade destrutiva.

Felizmente, minha visão da psicodinâmica me fez aprender que em meio à "inhaca corporativa", a melhor resposta imediata é o silêncio. Depois, levo para casa um ponto de reflexão: "Por que cargas d'água aquele cara teve aquele piti?". Como não sou especialista em psicologia, nem sempre entendo o que anda azedando a pessoa. Também como líder de RH não é esse o meu papel. Mas consigo manter a cabeça clara e não retribuir com a minha humana agressividade – nem na hora nem depois. E não faço essa escolha porque sou bonzinho ou um santo à espera de canonização. Tomo essa atitude como líder de mim mesmo, porque, objetivamente, aprendi que as respostas agressivas nunca trazem o melhor resultado para mim e para o grupo. É muito melhor, portanto, acionar meu botão com o olhar da psicodinâmica. Tem dado certo e recomendo.

Atuando com os olhos de gestão de pessoas e não com os de "recursos humanos", o líder de GP consegue, além de melhorar a convivência diária, também diferenciar a contribuição que consegue dar não só ao negócio, mas também às pessoas individualmente. Como é atento às necessidades da empresa, mas também às das pessoas, o líder de GP amplia suas chances de conseguir conciliar interesses. Em vez de tentar, por exemplo, impor algo que seria vantajoso só para o negócio, ele encontra o caminho para compartilhar vantagens. Para finalizar, conto outro exemplo prático:

A moça veio falar comigo para pedir demissão. Sabia que ela era boa profissional. Nos últimos dois anos, a empresa investira nela com treinamento e capacitação. Mas ela queria sair... Para onde? Ainda não sabia bem. O que sabia era que andava chateada, triste, até meio deprimida e culpava o trabalho ali na empresa. Não tinha problema com o chefe. Não tinha problema com os colegas. Não, até que ela gostava bastante da turma. A tristeza era daquele trabalho mesmo. Chato, monótono e repetitivo. Não dá para discordar, pensei. Eu sabia que a função era mesmo maçante, mas ela tinha bom desempenho apesar de toda aquela chatice. Era inteligente, rápida e alto-astral.

Meu dever como profissional de RH era tentar evitar aquele pedido de demissão. Mas não ia entrar numas de mentir, fingir que não sabia que o trabalho dela era chato. Se queria que ela ficasse, aquele emprego tinha de ter algum valor e propósito para ela, não para mim, não só para a empresa. Então, enfrentei o assunto por outro ângulo: se você não trabalhasse aqui, o que gostaria de fazer, qual o seu desejo, seu maior sonho profissional? Confesso que a resposta dela me surpreendeu. Ela gostaria, mais do que tudo, de voltar a estudar à noite para poder prestar concurso para ser agente da Polícia Federal! Bingo! Para mim, aquela resposta foi ótima! Encontrei como argumentar com ela, sem mentir.

E lá fui eu. "Mas, então, vamos pensar juntos: por que você não continua aqui na empresa, consigo uma bolsa parcial para você voltar a estudar à noite, e aí vai prestando o concurso na PF até passar? Quando você vier pedir demissão de novo para ir ser agente da Federal, prometo que não vou falar mais nada. Só vou te dar um abraço e te desejar felicidades!". Ela pediu uns dias para pensar. Na semana seguinte, chegou à conclusão de que aquela era uma boa ideia. Um jeito de usar o trabalho chato para realizar o sonho de ser agente da PF. E a empresa contou com a competência dela por mais dois anos e meio. A bolsa parcial foi um bom investimento.

O ponto de partida de todo esse processo é um só, ter a coragem de se lançar à jornada do autoconhecimento, coragem de desafiar a esfinge. Se não for por causa daquele tipo de "curiosidade congênita" de que falei, que seja por razões bem mais objetivas: encontrar o propósito pessoal e/ou corporativo é o que faz a pessoa colocar energia no trabalho diário e se tornar mais produtivo, inovador, eficaz e competitivo. Quando o CEO e o líder de GP têm essa coragem, levam esse desafio para dentro da organização. E formam uma aliança de apoio recíproco baseada na visão sistêmica e na visão da psicodinâmica, promovendo uma transformação profunda na estrutura e na cultura. Essa transformação ocorre com naturalidade, como resultado dessa abordagem reflexiva e crítica assumida por todo mundo. Aí sim, tenho testemunhado esses dois líderes conseguirem levar o time a resultados extraordinários – e sustentáveis.

ÉDIPO E A ESFINGE EM DOIS PARÁGRAFOS

No momento, tudo que você precisa saber sobre o mito da esfinge e de Édipo é o seguinte:[11] por influência dos egípcios, a figura da esfinge chegou à Grécia por volta de

---

11 Para saber mais sobre esse mito, minha sugestão são os respectivos verbetes no *Dicionário mítico etimológico*, vol.1, de Junito Brandão. Petrópolis: Editora Vozes, 1991.

VII a.C. e ali os escritores e escultores cristalizaram sua imagem como a de uma cruel mulher-leão com asas. Também foram os gregos que criaram a história de Édipo, aquele personagem da mitologia que mata o pai (Laio) e casa com a mãe (Jocasta). Há inúmeras versões desse mito. Os detalhes variam bastante, mas para a gente aqui a parte do enredo que interessa é esta: Édipo foi criado na cidade de Corinto como filho de Pólibo e Mérobe, sem saber que era adotivo. Um dia, o rapaz vai a Delfos onde o oráculo faz a terrível previsão de seu destino. Desesperado e querendo evitar o pior, Édipo põe o pé na estrada. Com medo de voltar para Corinto e cumprir seu trágico futuro, ele segue para Tebas. Lá, encontra a cidade devastada pelo terror imposto por uma esfinge. O monstro propõe um enigma aos jovens tebanos e, quem não consegue decifrá-lo, é estrangulado. Muita gente boa já tinha morrido. Corajoso, Édipo decide enfrentar a esfinge e ela lhe faz a pergunta enigmática: "Qual o animal que, possuindo voz, anda pela manhã em quatro pés, ao meio-dia com dois e à tarde com três?". Sem vacilar, Édipo responde: "O homem" e derrota a esfinge, que se atira em um abismo.

A interpretação mais básica é ver esse enigma como a representação do desenvolvimento físico do ser humano: quando a gente é criança, no amanhecer da nossa vida, engatinhamos apoiados nas mãos e nos joelhos como se tivéssemos quatro patas; no auge, em nosso meio-dia como adultos, caminhamos de cabeça erguida, eretos sobre os dois pés; quando a tarde vem e envelhecemos, nos curvamos para caminhar e seguimos em frente apoiados em uma bengala. É o tempo que passa e nos transforma fisicamente. Muda o que somos por fora. Mas, para mim, outra interpretação possível é como uma metáfora do autoconhecimento. A esfinge faz a gente se perguntar aquilo que é mais essencial sobre nós mesmos: de onde vim (a criança), quem sou (o adulto), para onde vou (o velho)? Como Édipo, é preciso ter coragem para decifrar esse enigma. Olhar para dentro e tentar compreender quem somos e quem são os outros. Ter a coragem de buscar as respostas mais autênticas. É só pelo autoconhecimento que nosso ego vai conseguir encontrar seu propósito e agir como adulto. Essa é a resposta do enigma. O propósito dá sentido à vida e traz alívio para a angústia diária. A esfinge perde a força para nos sufocar com a incerteza de tantas perguntas sem resposta. Para mim, tudo gira em torno de resgatar nossa excelência interior e aplicá-la na jornada da vida – o que inclui, claro, o trabalho diário nas organizações.

FICA A DICA: JÁ PENSOU EM SER LÍDER DE GP?

Nunca me imaginei como profissional da área de gestão de pessoas. Recém-formado em administração, trabalhava como assistente de pesquisa e já fazia meu mestrado. Estava feliz e satisfeito, mas sabia que já chegara a hora de experimentar o mercado corporativo. Então, andando pelos corredores da faculdade, vi dois cartazes que me chamaram a atenção: um era para iniciar carreira em uma multinacional na área de RH e outro, para a área administrativo-financeira em uma empresa familiar. Troquei umas ideias aqui e ali e escolhi participar do processo seletivo na multinacional. Nem entrou em discussão que, ao fazer essa opção, estava direcionando minha carreira. Só que entrei naquele emprego em 1986 e nunca mais saí de RH, que hoje prefiro chamar de gestão de pessoas. Foi nessa área que encontrei meu propósito de vida e de trabalho. Me desenvolvi como gente e como profissional e devo admitir que gosto muito do que sou e do que faço. Mais do que minha recompensa meritocrática (da qual também gosto muito!), é isso que me faz um profissional satisfeito com meu trabalho diário.

Hoje em dia, a moçada fala muito em trabalhar para fazer a diferença. Todo mundo quer ajudar a fazer um mundo melhor. Preservação ambiental, respeito à diversidade, inclusão, sustentabilidade... São todas ótimas ideias e práticas excelentes. Mas, para mim, o melhor jeito de juntar tudo isso é dentro das organizações na área de gestão de pessoas. Ajudar a transformar por dentro as empresas é a maneira mais eficiente que eu conheço de fazer um mundo melhor. Não vai ser no primeiro dia, no primeiro mês, no primeiro ano... não adianta ter pressa. Como já falei, é um processo que começa no autoconhecimento e não tem ponto final, mas que oferece, ao contrário, uma jornada de transformação duradoura. Se você achar que o propósito da sua vida é ser um agente de transformação, recomendo trabalhar em gestão de pessoas. Tenho visto muita revolução silenciosa acontecer dentro das empresas!

TESTE FINAL DE APOIO DIDÁTICO

REFLITA E RESPONDA:
1. Entre 2014/2015, Ram Charan e Dave Ulrich criaram uma polêmica em torno do papel do RH contemporâneo. Qual foi o ponto comum a que os dois chegaram depois da discussão?
2. O líder corporativo é aquele que, com visão sistêmica e da psicodinâmica, consegue articular um contexto para manter o negócio competitivo. Qual o papel do gestor de pessoas em relação ao CEO? Deve ser estratégico ou atuar como coach?
3. A esfinge propôs um desafio a Édipo que pode ser interpretado como as três fases do desenvolvimento físico do ser humano: infância, maturidade e velhice. Que outra interpretação é possível dar a esse mito grego?
4. Quando tem uma visão tradicional de "recursos humanos", é comum que o líder não consiga manter resultados sustentáveis. Como manter a competitividade do negócio a longo prazo?
5. Ninguém lidera ninguém se antes não assumir a liderança e entrar em ação na própria vida. Leia de novo a frase de Bazalgette em destaque no começo deste capítulo e comente.

3

A SOMA DE TODOS OS SONHOS

Meu pai me deu esse corpo que é efêmero, mas meu mestre me deu uma vida que é imortal.

Alexandre, o Grande[1]

É fazendo que se aprende a fazer aquilo que se deve aprender a fazer.

Aristóteles[2]

Comecei a colocar em prática a Liderança Contextualizadora bem antes de entender o que isso queria dizer. Até 1998, eu não tinha a menor ideia do que era – ou deveria ser – um líder contextualizador. Mas não dominar conscientemente um conhecimento, não significa que eu não estivesse aprendendo na prática (sem nem me dar conta). Aqui mesmo no livro já contei algumas histórias acontecidas antes de 1998, por exemplo, aquela do líder da fábrica de caminhões no Capítulo 1, que tinha uma capacidade darwiniana[3] de adaptação a novas circunstâncias

---

1 Alexandre, o Grande (356-323 a.C) – reconhecido por seu brilhantismo militar, mas também por seu conhecimento e interesse pelas ciências e pela filosofia que lhe foram ensinadas por seu tutor Aristóteles (leia mais no box neste capítulo).
2 Aristóteles (384-322 a.C.) – médico e filósofo grego, foi aluno de Platão na Academia de Atenas e criador dos fundamentos da lógica dedutiva (leia mais no box neste capítulo).
3 Aquele que tem mais chances de sobreviver não é o mais forte: é o que dispõe de variações que melhor se adaptam às condições de vida. Para entender esse conceito de Darwin aplicado à vida corporativa, leia a página 36 no Capítulo 2.

do negócio. Naquele momento, porém, eu ainda não sabia que estava diante de um líder contextualizador. Apenas testemunhei e registrei: ao criar novos contextos para o negócio, ele oferecia um propósito de vida para as pessoas e gerava resultados extraordinários para a empresa. Todo mundo ficava mais feliz. Eu, da minha parte, achei que a soma de todos os meus sonhos virava realidade. Apesar de ainda não entender como e por que aquilo acontecera, tudo que eu queria era voltar a ter experiências profissionais tão transformadoras como aquela. E, felizmente, ao longo da carreira, tive outras histórias para viver, aprender e contar... hoje posso dizer que sou um militante das revoluções corporativas pacíficas.

Por isso, nesse capítulo, quero compartilhar o exemplo mais contundente de Liderança Contextualizadora que já vivi – e que se tornou a chave desse meu aprendizado. Foi entre 1998 e 2001. Talvez eu o considere tão impactante porque foi durante esses três anos de vivência profissional que consegui combinar efetivamente o meu conhecimento teórico com o aprendizado prático. Ao "piramidar ideias", como gosto de dizer, é que fui sistematizando os conceitos do que, só agora bem mais recentemente, passei a chamar de Liderança Contextualizadora. É como disse Aristóteles, a gente aprende é fazendo. Mais tarde é que vai refletir e teorizar a respeito – até para conseguir transmitir o que aprendeu. O ponto de partida é o alicerce teórico. Depois, a mão na massa é que mistura tudo muito bem até a gente ver surgir uma abordagem inovadora, capaz de revolucionar estruturas organizacionais. Pelo menos, foi assim que aconteceu comigo a partir dessa história que conto agora.

Antes de começar, vale apenas uma observação: vou manter a confidencialidade de marcas, apesar de hoje em dia não haver nesse caso qualquer dado estratégico que ainda possa ser relevante para as empresas. Em relação às pessoas, preferi usar detalhes ficcionais. Essa história é uma das minhas melhores vivências profissionais e, para contá-la, não quero correr o risco de ferir as suscetibilidades de outras pessoas. Portanto, além de mim, caso você ache que identificou alguém nesse relato, trata-se de "mera coincidência". Vamos lá:

A DESCOBERTA DA LIDERANÇA CONTEXTUALIZADORA

Em 1998, eu trabalhava em uma multinacional gigante do setor de alimentos. No Brasil, a empresa acabara de vender uma fábrica de sorvetes e mantinha a operação focada em três categorias de produtos: chocolates, refrescos em pó e balas e gomas. No fim daquele ano, o diretor-geral do Brasil preparou seu planejamento para 1999 e o apresentou para o *chairman* e CEO global da companhia em uma reunião aqui em São Paulo. Apesar de estar só com 34 anos, naquela época eu era o diretor executivo de recursos humanos e participei da apresentação. Foram dois dias de reuniões para chegar à conclusão de que a situação dos negócios era, no mínimo, delicada. Havia algum tempo a operação fechava o ano no empate. O segmento de chocolates lucrava uma barbaridade na Páscoa. Depois, todo o resto da operação ficava abaixo do esperado. Passando a régua no fim do ano, o jogo acabava no zero a zero. Então, na verdade, o planejamento para 1999 era quase um exercício de ficção. Uma longa novela sobre como manter funcionando um negócio que lucrava pouco ou quase nada. Depois de ouvir todo mundo sem fazer comentários, a reação final do CEO global foi direta, reta e cortante: "Ou vocês me apresentam outro plano em dois meses ou, no ano que vem, só vamos ficar com os chocolates da Páscoa".
Não havia margem para dúvidas. Nossa opção, em outras palavras, era a seguinte: ou a gente saía da zona de conforto e inventava uma saída criativa para o negócio no Brasil ou, no ano seguinte, ia todo mundo procurar emprego – sem levar no currículo nenhuma boa história[4] para contar. Esse "empurrãozinho" do CEO global foi decisivo: a partir daquele dia, conheci um novo líder contextualizador e – ainda sem perceber – comecei a traçar o meu próprio modelo de gestão de pessoas.

---

4 Nem toda boa história precisa ter final feliz. Para contar em entrevistas de seleção, uma boa história pode até acabar em fracasso, mas o enredo e a conclusão têm de trazer algum aprendizado.

O time brasileiro havia recebido uma inédita carta branca para se apoderar da gestão e traçar um novo rumo estratégico para os negócios no país. Com uma agilidade nunca vista antes, depois de trocar ideias aqui e ali, em poucos dias o diretor-geral tinha definido, não outro planejamento para 1999, mas um novo modelo de negócio para a empresa no Brasil. Era uma ousadia, mas, na pior das hipóteses, se acabássemos demitidos, aí sim, íamos pelo menos ter uma boa história para contar...
Em dezembro de 1998, o novo modelo já estava sendo apresentado ao *chairman* e CEO global. A volta da lucratividade estava prevista com a reestruturação da empresa em três dimensões: (1) eram candidatos a desinvestimento todos os produtos fora dos segmentos de chocolate e refrescos em pó, e a produção seria concentrada em uma única megafábrica; (2) a logística de distribuição para os pontos de venda (*outbound*) deixaria de ser própria e passaria a ser terceirizada, sem precarização, com o objetivo de utilizar grandes *players* e conseguir a variabilização dos custos; e (3) as atividades transacionais (contabilidade, folha de pagamento e área fiscal) deveriam ser centralizadas e transferidas de São Paulo para outra cidade, para reduzir custos pela otimização das sinergias das atividades e também por haver uma média salarial menor.
Dessa vez, a reação do *chairman* e CEO global foi ótima. Mas, de novo, ele foi direto ao ponto: "Por mim, está aprovado com um acréscimo. Tem de tirar de São Paulo, além das atividades transacionais, também o comercial e o marketing. Claro, ainda dependemos da aprovação do conselho, que vai se reunir em janeiro". Considerando que, além de CEO global, ele era também o *chairman* do conselho... nossas chances de ouvir "sim" eram boas. Só que, em janeiro de 1999, houve aquela mididesvalorização do real[5] e a aprovação do conselho acabou sendo adiada por alguns meses. A partir de maio de 1999, no entanto, nós já

---

5 Em janeiro de 1999, o governo alterou a política cambial e o valor do real foi reduzido em 8,26% frente ao dólar. Para saber mais, leia a reportagem "Mudança desvaloriza o real", na *Folha de S. Paulo* de 14 jan. 1999. Disponível em: <http://www1.folha.uol.com.br/fsp/dinheiro/fi14019915.htm>. Acesso em: 28 ago. 2016.

estávamos trabalhando sob a perspectiva do novo contexto de negócio articulado pelo diretor-geral no Brasil – o líder contextualizador que eu acabara de descobrir!

O CENÁRIO INTERNO ANTES DA TRANSIÇÃO

Das três dimensões que foram reestruturadas, só não vou detalhar a variabilização dos custos de distribuição comercial, porque não participei diretamente da implementação do projeto nessa área. Sei apenas que o time de logística assumiu a encrenca e atingiu a meta de redução dos custos. Na paralela, eu estava enfiado de corpo e alma na consolidação da manufatura e na transferência do escritório para uma única cidade. Na área de produção a situação era esta: havia uma unidade em São Paulo que produzia as bebidas em pó com uns 350 funcionários; outra em Bauru, que fabricava balas e gomas e também alguns confeitos de chocolate com mais 350 pessoas; além de três fábricas de chocolates e waffles, espalhadas nos bairros paulistanos do Limão, Pinheiros e Brooklyn, que somavam uns 3.000 funcionários. Na área administrativa, juntando com comercial e marketing, havia mais 300 pessoas. Então, no total, estávamos falando de cerca de 4.000 empregos diretos.

Não havia a menor possibilidade de usar uma dessas antigas fábricas para unificar a produção em São Paulo. Primeiro, porque todas ficavam bem no meio da cidade e isso já causava problemas, além do aumento dos custos logísticos. Segundo – e mais importante – é que nenhuma dispunha de infraestrutura adequada para ser modernizada e nem mesmo de espaço horizontal para receber a quantidade necessária de novas máquinas para concentrar e aumentar a produção. Não havia área disponível e nem como comprar terrenos ao redor. Então, a alternativa era mudar e aproveitar essa mudança para ir a uma cidade que aumentasse o nível de competitividade do negócio. Mas ir para onde?

A minha imersão nessa decisão estratégica foi total. Em meados de 1999, para ajudar a encontrar as melhores opções, acessei pela primeira vez a internet. Fui à biblioteca da Fundação Getúlio Vargas[6] pesquisar as condições socioeconômicas de várias cidades que poderiam ser alternativa para a instalação da megafábrica. Acabamos ficando entre quatro possibilidades: Bauru, Curitiba, Buenos Aires ou uma quarta que fosse sugerida pela consultoria contratada. A decisão final foi Curitiba por várias razões, entre elas: a qualidade de vida na cidade era muito boa, com Índice de Desenvolvimento Humano (IDHM) crescente;[7] as ótimas condições de infraestrutura, inclusive, a proximidade do gasoduto Brasil-Bolívia, que estava entrando em operação naquele ano; e, por fim, o fato de a multinacional já dispor ali de uma antiga indústria de cigarros, que havia sido fechada e que tinha as melhores condições para a gente transformar na nossa "fantástica fábrica de chocolate". É verdade, quando a gente sente o propósito, o trabalho fica divertido.

Em resumo, naquele momento, o desafio colocado para mim, que ainda me via como líder de RH e não como líder de GP, era o seguinte: tinha trinta meses para fechar cinco fábricas e os escritórios administrativos no estado de São Paulo e abrir uma fábrica e um escritório na região metropolitana de Curitiba. Como estávamos diante de um modelo de negócio totalmente novo, só essa concentração da produção e da administração já possibilitaria a redução do contingente de funcionários de 4 mil para 3 mil pessoas. Fora os reais ganhos de eficiência proporcionados pelas sinergias entre os segmentos, além da melhoria das condições logísticas e de infraestrutura. Hoje, quando olho no retrovisor, entendo que foi essa experiência profissional que me fez deixar de ver

---

6 Em 1999, a biblioteca da FGV/SP era uma das mais modernas e já oferecia conexão à internet para a realização de pesquisas. Lembre que eram tempos de internet discada e nem todas as empresas dispunham sequer do serviço de correio eletrônico. Para você saber mais sobre isso, recomendo dois sites. Um mais divertido: <http://blog.bytequeeugosto.com.br/5-servicos-inicio-da-internet-que-nao-existem-mais/>. E outro mais acadêmico: <http://www.ufpa.br/dicas/net1/int-h199.htm>. Acessos em: 01 set. 2016.

7 Veja a evolução do IDHM da região metropolitana de Curitiba entre 2001 e 2010 em: <http://www.atlasbrasil.org.br/2013/pt/perfil_rm/23>. Acesso em: 02 set. 2016.

as pessoas como "recursos" e colocá-las no centro da articulação de um negócio mais competitivo.

A ESTRATÉGIA DE RH[8] FOCADA NOS OBJETIVOS DO NEGÓCIO

O diretor-geral do Brasil e eu, como líder de RH da empresa, já trabalhávamos juntos há alguns anos e conseguimos construir uma boa relação de parceria. Havia entre nós, além da confiança no desempenho profissional de cada um, a compreensão clara daquele novo contexto e dos objetivos estratégicos do negócio. Certamente foi por isso que ele aceitou sem restrições a minha contribuição com um plano de RH com visão estratégica de trinta meses. Minha primeira providência foi desmembrar o projeto em três eixos de trabalho com ações táticas previstas para cada um: (1) era preciso planejar e executar gradativamente o fechamento das cinco fábricas no estado de São Paulo; (2) era necessário fechar os escritórios espalhados em São Paulo e unificá-los em Curitiba; e (3) era essencial planejar e colocar em operação a megafábrica em Curitiba com seu respectivo escritório unificado.
Ainda intuitivamente, eu sabia que precisava de uma boa história para contar, uma que fosse capaz de dar sentido a toda aquela mudança, não só para a empresa, mas também para as 4 mil pessoas – e suas famílias – envolvidas no processo. Então, mesmo não tendo sistematizado ainda meu modelo de gestão de pessoas, o ponto de partida foi esse: o próprio nexo do novo contexto do negócio teria de gerar também um novo propósito de vida para cada pessoa. Falando de outra forma: a boa história era apenas contar a verdade com a devida transparência, com a antecedência necessária para não pegar ninguém de surpresa

---
8 Continuo chamando de área de recursos humanos neste relato, porque nessa época ainda não sabia que desenvolveria um modelo de atuação para gestão de pessoas, já descrito nos Capítulos 1 e 2.

e oferecendo condições para que as pessoas viabilizassem seus novos propósitos de vida. Para dizer ainda de outro jeito: eu tinha apenas que colocar em prática valores como respeito, transparência, confiança e um pouco de coragem para pensar fora da caixa.

PRIMEIRO EIXO: FECHAR CINCO FÁBRICAS

Em relação ao fechamento das fábricas, portanto, eu sabia que não podia ficar apenas com a "má notícia". Por isso, tracei um plano de comunicação antecipada e defini os critérios que seriam anunciados. Quando troquei ideias internamente sobre comunicar em agosto de 1999 um processo que seria iniciado só em janeiro de 2000, a turma de "dentro da caixa" profetizou calamidades: "Vai dar tempo para muita rádio-corredor" ou "O clima na empresa vai ficar de velório" ou "Você vai ver... vai ter greve, vai ter sabotagem..." ou "A produtividade vai despencar...". Era mesmo um baita risco. Só que eu tinha a percepção de que era o melhor para todo mundo (não só para a empresa) e o diretor-geral no Brasil bancou minha convicção (e o CEO global bancou nós dois). Para a época, era muito mais ousado do que hoje em dia, eu era jovem e confesso que senti um frio na espinha – mesmo contando com o apoio desses dois líderes contextualizadores.

Minha primeira conversa sobre a mudança para Curitiba foi com o pessoal do sindicato. Fui lá pessoalmente para explicar as razões do projeto e detalhar os critérios e benefícios que seriam oferecidos aos funcionários. Como, pelo menos às vezes, a vida conspira mesmo a favor, um dos líderes sindicalistas era um cara com quem eu me entendia muito bem desde quando trabalhava em montadora de automóveis (1986 a 1994). Fazia tempo, mas, quando a gente sentou para conversar, havia entre nós uma relação de confiança. Ele tinha o interesse de defender os empregados da fábrica, e eu tinha um plano que, além de respeitar os direitos deles, ainda acrescentava alguns bons benefícios.

Então, mais uma vez nos entendemos com respeito e transparência. Tanto que, quando fui explicar o projeto às autoridades estaduais, contei com um representante do sindicato para deixar claro que já havia um entendimento prévio encaminhado com os trabalhadores.

Depois dessas conversas preliminares institucionais, estava tudo articulado e o plano foi comunicado aos funcionários. O anúncio foi feito num dia para os líderes: explicamos as razões e o novo modelo de negócio (contexto), detalhamos o cronograma, os critérios e os benefícios e depois fizemos a rodada para esclarecer dúvidas. No dia seguinte, com o suporte dos líderes, as informações foram transmitidas simultaneamente a todos os demais funcionários. Por fim, o anúncio da mudança acabou sendo recebido em um clima de razoável tranquilidade e confiança. Cada pessoa entendeu que havia um prazo de trinta meses para encaminhar a própria vida, contando com o melhor suporte que a empresa podia oferecer para que encontrasse seu novo propósito.

O plano de apoio era igual para os funcionários da produção e da administração e considerava três diferentes grupos: (1) aqueles que seriam convidados a mudar junto com a família para Curitiba porque tinham uma qualificação e desempenho diferenciados; (2) aqueles que ocupavam posições críticas e precisavam ficar até o fim da transição; e (3) aqueles que poderiam buscar novas ocupações ao longo dos 30 meses da transição e aderir a um Plano de Demissão Voluntária (PDV). Para cada um havia um pacote de benefícios diferenciado. Para o grupo 3, o PDV previa um delta sobre as verbas rescisórias. Para o grupo 2, estava planejado o pagamento de um megadelta sobre as verbas rescisórias – desde que o funcionário ficasse até o fim da transição. Porém, havia outro benefício: durante os 30 meses, esse grupo recebia apoio e treinamento para a recolocação – desde elaboração de currículo, treinos para participação em entrevistas e dinâmicas de seleção até cursos de requalificação profissional. A maioria aderiu às aulas que possibilitavam trabalhar por conta própria: manicure, padeiro, cabeleireira... e o curso que bombou mesmo foi o de chaveiro! Até hoje não entendi por quê...

No grupo 1, foram convidadas 118 pessoas para mudar com a família para Curitiba e todos tiveram até o fim de setembro para dar a resposta. Como mudar de cidade com gato, cachorro e papagaio não é uma decisão fácil, demos tempo para a escolha ser feita com tranquilidade. No total, 104 toparam a mudança. Esses funcionários receberam todo suporte financeiro e logístico-operacional para ir para Curitiba, como ajuda-aluguel, convênio com escolas para os filhos... Tudo que imaginamos que pudesse ajudar, nós fizemos: até uma apostila com a recomendação dos melhores serviços, como restaurantes, videolocadora, cabeleireiro, academia e passeios em Curitiba e arredores. Foi assim que a transição inteira transcorreu sem "muita" fofoca, sem clima ruim, sem paralisações, sem nenhuma sabotagem. Nesse período, inclusive, houve queda no registro de acidentes de trabalho. Para mim, foi prova de que a transparência, além de ser um valor ético, gera valor para o negócio.

SEGUNDO EIXO: UNIFICAR O ESCRITÓRIO EM CURITIBA

Apesar de os critérios e os pacotes de benefícios serem equivalentes, vou contar um episódio da transição das atividades transacionais e das áreas comercial e de marketing, porque foi aqui, justamente, que eu errei. Acho incrível até hoje que, durante o período de preparação do plano, não tenha acontecido nenhum vazamento. Estava tudo correndo muito bem na comunicação de cada etapa. O clima organizacional estava para lá de muito bom, tudo tranquilo, até que eu mesmo causei uma "quase" quebra de confiança, que poderia ter virado um grande transtorno.
Voltando de uma viagem a Curitiba, trouxe uma fotografia do prédio onde o escritório unificado iria ser instalado. O local era ótimo, o prédio legal e decidi publicar a foto no jornal interno anunciando que era ali que o pessoal do escritório ia se instalar. Era um prédio com a fachada cheia de janelas grandes. Logo depois que o jornal circulou

internamente, um dos funcionários do administrativo também teve que ir a Curitiba. Lá, depois das reuniões que foi fazer, alguém o levou para conhecer o prédio onde ia funcionar o novo escritório da companhia. Para surpresa dele, não era o mesmo lugar daquela foto que eu havia publicado no jornal interno. Ele voltou para São Paulo e levou o seguinte discurso para dentro do escritório: "O que estão falando pra gente é <u>tudo</u> mentira! O prédio em Curitiba não tem nenhuma janela na frente. Eu fui lá ontem e vi!".

Aquela fofoca correu entre a turma dos escritórios mais depressa do que o Usain Bolt. Houve uma ameaça de pânico e alvoroço. A explicação era fácil: no intervalo entre eu trazer a foto e publicar no jornal interno (naquele tempo não tinha intranet e o jornal interno tinha que ser escrito, editado, diagramado e impresso para só depois chegar aos funcionários – nisso tudo, passou quase um mês!), houve mesmo uma redefinição do local do escritório em Curitiba. Era também um lugar ótimo, só que as janelas, em vez de estarem na fachada, davam para um grande pátio interno. Quando fiquei sabendo, não dei muita importância. Sinceramente, não achei que a diferença das janelas do prédio em Curitiba pudesse colocar em risco a relação de confiança entre a empresa e os funcionários. Mas, só por causa daquelas janelas, tive de gastar muita conversa para convencer o time de que não havia nenhuma mentira: <u>era só um erro meu</u>! Levei um susto, mas acabei convencendo todo mundo numa boa… Foi para eu aprender como as pessoas ficam suscetíveis diante de mudanças.

Das 104 pessoas convidadas para mudar para Curitiba, boa parte delas ia trabalhar no escritório. Um ano depois da mudança, 98 me diziam que, se soubessem da qualidade de vida da cidade, teriam mudado antes. Diga-se de passagem, que eu também mudei com a minha família e fiquei lá até 2004, quando fui transferido para os Estados Unidos. Além das pessoas que foram de São Paulo, também foi preciso fazer mais umas 200 contratações. Na festa de Natal de 2000, fui tirado como amigo secreto pelo diretor-geral do Brasil. Ele me deu um livro com a biografia de Alexandre, o Grande com a seguinte dedicatória: "O fogo arde no coração dos deuses... Que nunca mais duvidem das nossas janelas!". Desde então, cultivo uma admiração especial por Alexandre e por seu tutor, Aristóteles.[9]

TERCEIRO EIXO: PÔR PARA FUNCIONAR A MEGAFÁBRICA

Minha vida não era só fechar as unidades de São Paulo, era também fazer a megafábrica começar a funcionar em Curitiba. Essa era a parte mais legal, porque envolvia oferecer novos empregos, que estavam sendo criados no Paraná. No total, eram 30 linhas de produção que precisavam ser transferidas. A partir do início de 2000, junto com mais dois profissionais que também foram muito importantes nesse projeto, eu tinha de contratar no Paraná em média 100 pessoas por mês. Assim, ao longo de trinta meses de transição, nós teríamos as 30 linhas operando plenamente com 3 mil funcionários. Para identificar por onde começar, foi muito importante trocar figurinhas com os líderes de RH de duas montadoras que haviam acabado de se instalar no Paraná. Em mais uma coincidência das boas, já havia trabalhado com esses dois caras e me dava superbem com eles.

O caso é que, piramidando ideias a partir da curva de aprendizado dos dois, foi criada a Universidade de Alimentos (UAL), uma parceria entre o governo do estado do Paraná, a prefeitura de Curitiba, a PUC/PR, o SENAI/PR e a empresa onde eu trabalhava. A parceria funcionava assim: com equipamentos doados por alguns fornecedores e apostilas e vídeos desenvolvidos em conjunto entre professores da PUC e nossos melhores técnicos, foi estruturado um curso teórico e prático no SENAI para preparar novos profissionais para a produção de alimentos. Era, na verdade, uma pequena fábrica piloto.

---

9 Leia o box e as frases em destaque no início deste capítulo.

O curso durava três meses e tinha em média 130 alunos. Quem se certificava com média 7 e 75% de presença, fazia uma especialização em Processamento de Bebidas em Pó e Chocolates. Isso significa que, ao fim do primeiro trimestre, a cada mês nós tínhamos 100 novos contratados devidamente treinados. Aquelas 30 pessoas que não eram contratadas por nós encontravam colocação rapidinho em outras fábricas de alimentos paranaenses ou até em restaurantes locais. Outro detalhe é que a cada mês, as aulas mudavam de horário. O curso era oferecido de manhã, depois de tarde e, em seguida, à noite: assim, podia se inscrever quem estivesse desempregado e também quem trabalhava o dia inteiro, mas queria se preparar para arrumar uma colocação melhor. Contando assim, pode parecer que o processo todo foi fácil. Mas não foi, não. Trabalhamos para caramba, mas deu tudo certo! Mas acho melhor deixar essa avaliação dos resultados da UAL por conta de Marisa Eboli em seu livro *Educação corporativa* (2004, p.76) no Brasil:

> Os resultados internos alcançados – ligados à qualidade, à produtividade e à redução de perdas – permitem concluir que a atuação das pessoas é muito mais eficaz, quando elas possuem uma visão mais completa a respeito dos processos nos quais estão envolvidas. Além disso, o comprometimento dos indivíduos que já participaram dos cursos é muito maior, pois eles se mostram mais seguros para questionar e propor mudanças nos mais diversos campos, beneficiando o processo como um todo.

Já tendo me tornado adepto convicto da comunicação transparente, logo que a UAL começou a funcionar, procurei o sindicato local para abrir o diálogo. Queria começar a conversar sobre nosso primeiro acordo. Da primeira vez que marquei uma reunião lá, outra coincidência: também já conhecia – e tinha uma boa relação – com o advogado do sindicato do Paraná. Sentamos e conversamos como se tivéssemos nos visto ontem. Com boa vontade de parte a parte, rapidamente traçamos alguns objetivos comuns. O que era bom para a empresa oferecia também uma perspectiva de vantagens graduais e crescentes para os trabalhadores.

Às vezes, acho que tenho sorte com essas coincidências tão positivas e que elas acontecem porque realmente me dedico à construção de relações de confiança. Quase deletei essa última frase, com medo que pudesse parecer que "estou me achando"… Só não voltei atrás porque, como já expliquei no Capítulo 1, uma das características do líder contextualizador é a autenticidade: meus exercícios de autoconhecimento me permitem atualmente me dedicar à construção de relações de confiança <u>conscientemente</u>. Sim, isso quer dizer que faço de caso pensado: sou transparente, autêntico e respeito as pessoas porque tenho certeza que só relações baseadas nesses valores trazem os melhores resultados – para mim, para os outros e para os negócios. Fecha parêntese e voltemos à história…

QUARTO EIXO: ESSE ME PEGOU DE SURPRESA

Em dezembro de 2000, já estava até achando que "a vida é bela". Faltavam apenas uns 30% para acabar a transição, e o prazo final era junho de 2001. Portanto, tudo sob controle. O clima era muito bom tanto na fábrica quanto no escritório. Mais do que engajamento dos funcionários, a gente se sentia cúmplices de um megaprojeto que estava dando certo. Estava tudo tão tranquilo, que devia ter desconfiado que não ia continuar assim. Na semana entre o Natal e o Réveillon, o diretor-geral do Brasil me ligou e soltou a bomba: a direção acabara de anunciar a compra global de outra multinacional de alimentos. Essa outra companhia era tão gigante quanto a nossa e, naquela época, sua sede brasileira ficava no Rio de Janeiro. Nós íamos ter doze meses para fazer a integração em Curitiba. Em toda a América Latina, esse projeto chamava One Company in One Year.

Na inesquecível terça-feira de 2 de janeiro de 2001, nós desembarcamos no Rio para começar a conversar com o outro time e, no fim do mês, já estávamos fazendo outra reunião com eles para apresentar o novo organograma. Não dá para negar que a experiência anterior foi decisiva para a agilidade do processo. Logo em seguida, os funcionários já estavam divididos em três grupos: (1) quem ficava no Rio até o fim da transição e depois teria um PDV; (2) quem iria para São Paulo para ser absorvido pelas empresas terceirizadas de logística; e (3) quem seria convidado para se mudar do Rio para Curitiba. Os pacotes de benefícios também foram bem semelhantes aos que havíamos oferecido no projeto anterior.

Na minha apresentação para convidar os funcionários que a gente queria que mudassem para Curitiba, teve um lance engraçado. Nós fizemos uma reunião no Rio na cobertura de um hotel entre o Leblon e São Conrado. Era um dia de sol maravilhoso e a vista dali de cima era fantástica. Quando chegou a hora de falar sobre a proposta de mudança, comecei a rir e fui fechando todas as cortinas da sala: "Bom, agora que vocês já não estão vendo mais esse mar, esse sol, essa praia... posso falar sobre a qualidade de vida em Curitiba!". Para o carioca, não ter praia era a primeira e maior desvantagem de Curitiba; em compensação, disse eu, é possível ir e voltar do trabalho em 15 minutos. Dos 46 convidados, todos aceitaram se mudar, inclusive a líder de RH, que era minha par. Ela foi fundamental para a integração do grupo carioca à nova empresa e à nova cidade. Somos grandes amigos até hoje.

Sob o ponto de vista financeiro, o objetivo final do projeto One Company in One Year era conseguir reduzir os custos da companhia comprada em 50% ao longo de três anos. Mas como já havíamos passado por outro projeto desse tipo, o diretor-geral do Brasil e eu já sabíamos que, de fato, para atingir essa meta havia necessidade de uma transformação cultural. Era preciso traduzir a meta de negócio em um novo contexto e oferecer novos propósitos para as pessoas. Rapidamente, o foco foi centrado nos seguintes pilares: discussão conjunta e alinhamento de políticas e melhores práticas; definição de missão, visão e valores comuns; consolidação de processos; comunicação transparente; e desenvolvimento de líderes. Entre os países da América Latina envolvidos nesse projeto, só nós conseguimos atingir a meta em 12 meses. Além disso, em dezembro de 2000, nossa empresa apresentou o seu melhor resultado no Brasil: foi o maior faturamento da sua história no país, aumentou o *market share* e se tornou líder de mercado em chocolates tanto na Páscoa quanto na comercialização regular. Além disso, mesmo participando pela primeira vez do ranking, nós nos tornamos uma das melhores empresas brasileiras para se trabalhar. Todos os nossos indicadores de clima organizacional estavam realmente bastante positivos. Em dezembro de 2001, esse desempenho positivo se repetiu. E eu estava tão satisfeito e realizado que poderia até parar de trabalhar. Só que não... em 2004, levando junto a família, fui transferido para os Estados Unidos para assumir como diretor global de RH da Divisão de Suprimentos. Até 2007 fiquei por lá vivendo outras histórias que vou compartilhar em outros capítulos do livro.

Tenho certeza, porque tenho visto e tenho ajudado a fazer acontecer: é possível construir uma empresa altamente competitiva em que ir trabalhar diariamente é um prazer autêntico. Estou falando daquela organização capaz de reunir excelência (eficiência + eficácia) e, ao mesmo tempo, entregar valor à sociedade – não exclusivamente com programas de responsabilidade social e ambiental, mas pela própria existência da empresa. Essa é sua real contribuição para a sociedade; o simples fato de existir, revolucionando as relações entre o negócio e as pessoas. Quando o CEO e o líder de GP atuam em conjunto como líderes contextualizadores, conseguem fazer a organização se transformar estrutural e culturalmente, chegando aos melhores resultados tangíveis e intangíveis. Infelizmente, ainda sobrevive o clichê de que ou a empresa tem perfil meritocrático ou tem perfil de valorização das pessoas. Esse é outro mito corporativo que gosto de desafiar: não se trata de uma opção entre isso ou aquilo, o negócio mais competitivo e longevo é a soma de todos os nossos sonhos... Isso é real.

ARISTÓTELES E ALEXANDRE EM DOIS PARÁGRAFOS

Por enquanto, o que você precisa saber aqui sobre Aristóteles e Alexandre, o Grande é o seguinte:[10] nascido em Estágira, uma colônia grega encravada na Macedônia, Aristóteles era filho de Nicômaco, médico dos soberanos Amintas e Felipe II. Muito bem relacionado no reino, seu pai lhe ofereceu condições favoráveis para estudar e o preparou na tradição médica de Hipócrates. Aos 17 anos, para aprimorar seus conhecimentos, Aristóteles foi enviado para Atenas onde ficou por vinte anos na Academia de Platão: primeiro, como aluno, depois, como professor. Foi a partir desse período que ele se dedicou mais à reflexão do que à medicina e escreveu sobre ética, poética, política, física, metafísica, biologia e lógica. Defensor da moderação, da racionalidade e da lógica, para ele, uma pessoa virtuosa é aquela que tem "coragem, competência, qualidade mental (razão) e nobreza moral (ética)". Aristóteles, sempre bem vestido, com barba e cabelo aparados, gostava de ensinar seus discípulos caminhando e, por isso, deu início à escola de filosofia peripatética (aqueles que gostam de caminhar).

Depois de uma estada na Ásia Menor e casado com Pítias, em 343 a.C., Aristóteles foi chamado de volta à Macedônia por seu amigo Filipe II, que o queria como tutor de seu filho Alexandre (356 a.C. - 323 a.C.), que estava com 13 anos. O adolescente já estava sendo treinado nas artes da guerra, mas parece que seu pai queria equilibrar todo aquele vigor físico com reflexões e conhecimento. Considerando a biografia de Alexandre, o Grande, escrita uns 400 anos depois por Plutarco (45 d.C. - 120 d.C.), a combinação deu certo: aos 20 anos, Alexandre assumiu o poder deixado pelo pai e seu sucesso na guerra o tornou o imperador de 90% do mundo conhecido na Antiguidade; por outro lado, ele nunca deixou de reconhecer a contribuição de Aristóteles em sua formação (a frase em destaque

---

10 Para saber mais sobre o legado de Aristóteles, consulte o site da PUC/SP em: <http://www.puc-sp.br/pos/cesima/schenberg/alunos/paulosergio/filosofia.html>. Acesso em 03 set. 2016. Para saber mais sobre as conquistas de Alexandre, o Grande acesse: <http://guerras.brasilescola.uol.com.br/idade-antiga/alexandre-grande.htm>. Acesso em: 04 set. 2016. E, se quiser uma versão romanceada da relação entre os dois, leia o livro *O filósofo e o imperador* (São Paulo: Leya, 2009) ou assista ao filme *Alexandre* (2004) de Oliver Stone, com Collin Farrell no papel de Alexandre e Christopher Plummer no de Aristóteles.

no início desse capítulo é uma das provas disso). Quando o tutor retornou à Atenas e fundou seu Liceu, diversos autores afirmam que a escola, que não cobrava nada dos discípulos, era mantida pela corte macedônica (leia-se: Alexandre, o Grande). Em 327 a.C., Aristóteles e Alexandre teriam cortado relações: o tutor ficou decepcionado com a falta de moderação do pupilo e, principalmente, com o que a gente chamaria hoje de "respeito à pluralidade". É que, além de levar e disseminar pelo mundo a cultura grega, Alexandre também começou a assimilar usos, costumes e valores dos povos que conquistava e até se casou com uma princesa persa. Aristóteles não gostava nada disso, talvez só para lembrarmos que ninguém é sábio 100% do tempo.

FICA A DICA:
POR QUE SIM OU POR QUE NÃO?

Às vezes, quando a gente é jovem, acha que o conhecimento teórico é bobagem... O que vale mesmo é a prática. Tem tanto exemplo pelo mundo de gente milionária que não terminou nem a faculdade! Quem começa com esse papo logo cita o Bill Gates: o cara fez uma fortuna sem precisar de diploma... Então, para que estudar, não é mesmo? Tenho para lhe dizer o seguinte: não dá para administrar a vida pela exceção. Gates é um cara entre 6 bilhões de terráqueos! Na nossa sociedade, ficar bilionário sem estudo é como ganhar na megasena três vezes seguidas. Então, não vale nem a pena perder tempo discutindo muito esse argumento. Apesar de nem levar em conta quem está a fim de parar de estudar, sou superfavorável ao aprendizado prático. Tanto que destaquei a frase de Aristóteles que dá força a essa ideia: "*É fazendo que se aprende a fazer aquilo que se deve aprender a fazer.*"

Mas, para fazer com competência e eficiência, o ponto de partida tem de ser o seu conhecimento conceitual básico. É no aprendizado teórico que você se apoia para saltar mais longe e se protege na hora de fazer a escolha mais difícil. É a partir dessa bagagem que, no seu primeiro emprego, você questiona respeitosamente o seu líder – e aprende muito mais. No dia a dia corporativo, nem todo mundo tem disposição para ensinar... O chefe manda você fazer alguma coisa e não dá mais detalhes ou explicações. Se você não entendeu a razão do trabalho e vai seguir fazendo sem saber o porquê, correrá alto risco de fazer errado ou fazer besteira. Nunca faça nada sem entender o motivo. Tem de perguntar. Se você não perguntar para entender, vai virar um "fazedor": o chefe manda, você faz; se o chefe não mandar, você não faz. Vai ficar lá parado, se entediando com a falta do que fazer. Não entre nessa viagem. Minha dica é: aprenda a gostar de aprender e use o seu aprendizado para perguntar e aprender mais. Não faça nunca nada, nem mesmo transmitir uma ordem ("o chefe disse que nós temos que..."), se não entender muito bem como, por que e para quê.

TESTE FINAL DE APOIO DIDÁTICO

REFLITA E RESPONDA:
1. Não são os mais fortes que sobrevivem, são os mais bem adaptados às condições de vida. Explique esse conceito darwiniano aplicado ao mundo corporativo e à gestão de sua própria carreira.
2. O líder contextualizador cria novos contextos para o negócio, oferece um propósito de vida para as pessoas e gera resultados extraordinários para a empresa. Na história contada nesse capítulo, quando foi que o CEO global e o diretor-geral do Brasil agiram como líderes contextualizadores?
3. Ao anunciar o fechamento de cinco fábricas em São Paulo, o líder de RH traçou um plano de transição que ia além da má notícia. Quais foram os valores intangíveis postos em prática e quais os resultados tangíveis?
4. Por trás de decisões relacionadas a fusões e aquisições, existem sempre objetivos relevantes para ganhos de eficiência e resultados financeiros. Em relação aos funcionários, porém, qual deve ser o foco da integração para que as metas estratégicas sejam alcançadas?
5. Ao ler a frase de Aristóteles em destaque no começo desse capítulo é possível considerar que o conhecimento teórico seria dispensável. Que pontos apresentados no texto podem ser utilizados para contra-argumentar essa ideia?

PARTE 2

Para chegar lá mais depressa

4

A JORNADA ATÉ ÍTACA

> Nada é tão difícil quanto não se enganar a si próprio.
> Ludwig Wittgenstein[1]

Quando a gente é jovem, tem sempre alguém mais velho[2] por perto fazendo perguntas. Primeiro, querem saber o que você vai ser quando crescer. Depois, se já está namorando. Em seguida, quando vai casar. E, por fim, quando pretende ter filhos. Lembro bem quando passei por todas essas fases e hoje vejo meus filhos continuarem a ser submetidos a esse mesmo interrogatório inócuo – todos os quatro: do primeiro, que está com 24, até a mais novinha de oito anos. Quase sempre são perguntas retóricas, repetidas de geração em geração. Apesar de clichês, à primeira vista essas questões podem parecer inofensivas. Ou, quem sabe, uma espécie de ritual de aproximação; quando a pessoa não sabe bem o que dizer. Talvez seja mesmo só falta de assunto. Mas, como tenho aquela minha curiosidade congênita[3] sobre o que se passa na cabeça das pessoas, acabei fazendo desse tema aparentemente desimportante um ponto de reflexão:

---

1 Ludwig Wittgenstein (1889-1951) – dedicado especialmente à lógica e à filosofia da linguagem, o filósofo austríaco se tornou professor catedrático em Cambridge em 1939 e acabou por se naturalizar cidadão britânico.
2 Costumo fazer uma diferença entre ser mais velho e ser adulto. Você vai compreender essa ideia no fim do capítulo.
3 Expliquei o que é essa minha "curiosidade congênita" lá no Capítulo 2.

por que nós, os mais velhos, insistimos em fazer sempre as mesmas perguntas para os mais jovens?

Para tentar entender, recorri novamente à visão da psicodinâmica[4] das relações interpessoais. Foi essa abordagem que me mostrou que por trás dessas perguntas inocentes podem estar camufladas, pelo menos, duas atitudes: (1) ao fazer essas perguntas, a pessoa mais velha transfere para o jovem a sua própria ansiedade em relação ao futuro; e (2) ela tem a fantasia de estar moldando os desejos do outro de acordo com o que acredita ser o melhor (a própria visão de dentro da caixa). Por exemplo: ao responder à pergunta "O que você vai ser quando crescer?", se a menina disser que quer ser uma heroína, a gente ri. Se ela informa que vai ser pediatra, é levada a sério. O mesmo acontece com os meninos. Se ele quiser ser o Pikachu, vira piada. Mas se disser que quer ser advogado que nem o avô, vai ser aplaudido. Isso ainda nos dias de hoje! São com essas pequenas atitudes cotidianas que os estereótipos são transmitidos às gerações seguintes. Até que as crianças se tornam jovens e chega realmente a hora de escolher uma profissão... escolher o que vai ser na vida!

Essa é uma daquelas escolhas realmente vitais! Não porque eu considere que somos definidos por nossas profissões. Bem ao contrário. Somos muito mais do que apenas nosso trabalho diário. Mas, quando se descobre e se consegue ter uma profissão em sintonia com a nossa essência mais profunda, aumentam as chances de a gente se sentir pleno. Portanto, como alguém que já passou por todo esse processo, sempre acho que, em vez de limitar a visão de mundo, somos nós, os mais velhos, que temos de apoiar os jovens a ampliar o horizonte de vivências para que façam as próprias escolhas de vida. Depois de fazer um esforço para tomar consciência e se livrar dos clichês – pelo menos dos mais evidentes –, os mais velhos é que devem dar força para a moçada buscar e realizar suas expectativas em relação ao próprio desenvolvimento.

---

4 Esse conceito está explicado no Capítulo 1.

A CAMINHO DAS PRÓPRIAS ESCOLHAS

Foi exatamente com essa motivação que decidi aplicar a abordagem da Liderança Contextualizadora ao processo de escolha profissional e cheguei a duas etapas: neste capítulo, vamos conversar sobre COMO se preparar para fazer essa escolha; no próximo, vai ser a vez de falar mais sobre O QUE escolher. Em resumo, o processo é assim: COMO escolher O QUE combina melhor com a sua essência (Figura 4.1). Primeiro, o jovem precisa procurar conhecer e compreender melhor sua essência (e isso não é pouco!) e, em seguida, ele assume a liderança do próprio processo no mundo à sua volta. É por aí que se conquista autonomia para fazer escolhas mais objetivas em relação às questões práticas (Figura 4.2, p 83), como: que perfil de empresa escolher para trabalhar, qual ambiente, qual tipo de liderança, qual cultura organizacional podem combinar melhor com seu jeito de ser? Já aviso que você NUNCA fará uma escolha perfeita, que possa lhe dar satisfação completa. Assim é que é. Portanto, se é provável que a escolha 100% certa nem exista, então, qual a vantagem neste caminho? Seguindo este processo fica mais fácil aguentar as consequências. Quando a escolha é SUA, você desfruta os benefícios e/ou suporta as encrencas com mais consciência e tranquilidade. É por isso que passei a chamar este processo de fazer "a sua própria melhor escolha". Note bem, PROCESSO, ou seja, caminhando é que se faz o caminho.

Figura 4.1 COMO escolher O QUE combina mais com seu jeito de ser

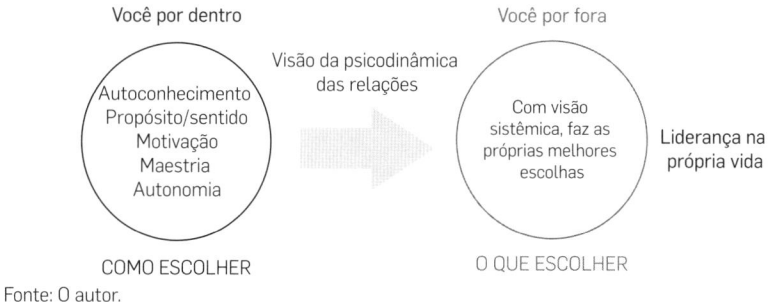

Você por dentro
Autoconhecimento
Propósito/sentido
Motivação
Maestria
Autonomia
COMO ESCOLHER

Visão da psicodinâmica das relações

Você por fora
Com visão sistêmica, faz as próprias melhores escolhas
O QUE ESCOLHER

Liderança na própria vida

Fonte: O autor.

AUTOENGANO E AUTOCONHECIMENTO

Não tenho a menor dúvida de que o autoconhecimento é o ponto de partida para você – nosso jovem em questão – chegar às suas melhores escolhas. Mas, antes de falar sobre isso, acho adequado tocar em um ponto sensível: o autoengano. Por mais que alguém se disponha a desvendar a si mesmo, o autoengano é muito mais comum e inevitável do que o autoconhecimento, como diz Wittgenstein na frase em destaque no começo deste capítulo. Já vi muita gente que não se conhece: não reflete e nem questiona quais são suas próprias necessidades e desejos essenciais. Mas até hoje nunca vi ninguém conseguir passar uma vida inteira sem cometer nenhum autoengano. Seja pobre, seja rico; pós-graduado ou analfabeto. O autoconhecimento, claro, é o antídoto disponível, mas tem lá suas limitações. Aliás, felizmente, o autoengano faz parte. Em um dos seus livros, Eduardo Giannetti (2004, pp. 68-9) propõe que a gente imagine um mundo onde os homens possam tomar uma pílula para se "curar" para sempre das armadilhas e sutilezas do autoengano. É ele quem descreve o provável resultado:

> Na mente do homem "curado" do autoengano não haveria lugar para nenhum pensamento sobre si mesmo, seu futuro e sua capacidade de mudar as coisas que não satisfizessem o mais rigoroso teste de realismo e objetividade. Nenhuma crença, emoção ou vivência subjetiva que o exame de consciência desconhecesse; nenhuma ilusão, confortadora ou não, encontraria abrigo no solo austero de sua racionalidade gelada (...) que tipo de esperança ou sentido ele poderia encontrar em existir?

Conclusão: se a gente fosse capaz de ter autoconhecimento integral, isso também seria um grande equívoco. Então, vamos mergulhar juntos em busca de um pouco mais de autoconhecimento, mas já alerta para o fato de que você nunca vai se autoconhecer completamente e nem conseguir ser totalmente objetivo e racional nas suas escolhas e decisões. E é muito bom que assim seja. Afinal, de um pouco de ilusão também se alimentam os nossos sonhos mais criativos e revolucionários. Por outro lado, para mostrar como e por que uma dose de autoconhecimento pode ser muito saudável e útil, vou contar a história da dona Diva:

Em 2013 participei de um grupo de voluntários na Secretaria Estadual da Educação, que havia passado por uma recente reestruturação do organograma. Éramos uns 20 profissionais da área de Recursos Humanos com o objetivo de oferecer sessões de coaching, em especial para as supervisoras de ensino, que haviam deixado uma posição hierárquica para passar a ocupar uma função de *staff*. Para descomplicar: elas deixaram de ter autoridade sobre os diretores das escolas estaduais e ainda não tinham entendido muito bem a nova situação. Por isso, estavam meio desmotivadas. Nosso grupo iniciou sua atuação na Regional da Zona Leste de São Paulo. Cada coach voluntário iria trabalhar com uma supervisora ou diretora de escola. Na primeira reunião, quando íamos apenas definir o modelo e o processo do voluntariado, a dona Diva já surgiu na conversa. Segundo a superintendente regional, ela era a supervisora que mais estava sofrendo com a mudança. Na reunião seguinte, quando fechamos o cronograma de trabalho, a conversa se encaminhou de novo para dona Diva: além de sofrer muito, ela estava criando problemas de clima com os diretores.
Para encurtar, eu fui o coach "voluntário" que foi trabalhar com dona Diva. Não fugi! Pense comigo. Naquela época, eu era coach voluntário na Secretaria Estadual da Educação. Sinceramente, meu objetivo era ajudar. Mas o que eu queria em troca? Queria aumentar e diversificar minha experiência como coach. Em sua opinião, eu ia aprender mais sendo coach da supervisora mais legal e mais fácil de lidar ou com a famigerada dona Diva? Como voluntário para aumentar a

experiência, se eu fugisse das situações mais desafiadoras, seria como ir fazer pós-graduação e colar nas provas... Bom, o fato é que lá fui eu encarar dona Diva... (e conhecer uma pessoa muito legal).

Ela era uma senhora de 50 e poucos anos, que trabalhava desde mocinha no magistério público estadual. Nesses mais de trinta anos, ela crescera em cargo e salário – de professora do ensino fundamental à diretora e depois à supervisora de ensino. Na mesma proporção, cresceu também sua insatisfação com tudo e com todos. Na nossa primeira sessão de coaching, abri espaço para dona Diva falar: ela reclamou da superintendente, da metodologia de ensino, da falta de infraestrutura das escolas, dos diretores preguiçosos, dos alunos, da falta de segurança e do desrespeito, do salário... e, por fim, reclamou que ainda faltavam cinco anos para ela se aposentar. Ah, e reclamou também que a filha acabara de perder o emprego. Para encerrar, combinamos que na próxima sessão seria a vez de começarmos nosso exercício de reflexão.

De cara, contei a dona Diva que eu conhecia e admirava muito aquele universo da educação que ela havia descrito: "Minha mãe também foi professora". Ganhei o primeiro sorriso. Depois, em vez de apontar que ela reclamava de tudo e de todos, tentei buscar quais seriam as possíveis alternativas de trabalho e de vida. Na verdade, dei início com ela a uma breve jornada de autoconhecimento, partindo da seguinte opção: "Como a sua situação parece toda muito negativa, a senhora teria como pedir exoneração imediatamente sem esperar pela aposentadoria?". E a resposta veio como o esperado: "Não posso nem pensar nisso, ainda mais agora com a minha filha desempregada...". Ela podia ainda não se conhecer muito bem, mas estava bem consciente da realidade exterior.

Quando dona Diva parecia pronta para começar uma nova sessão de reclamações, cortei. Em vez disso, queria procurar os sonhos dela, a essência. Nas primeiras vezes que eu perguntei, não deu certo. Segundo a própria dona Diva, seu único e maior sonho era se livrar de tudo aquilo e se aposentar. Ou seja, não fazer nada de si mesma. Eu não desisti: "OK, dona Diva, se aposentar para fazer o quê? Viajar? Estudar? Cuidar das flores? Qual é a sua vontade? Seu sonho? Seu projeto? Propósito? Contribuição? Legado?". Nas sessões seguintes, enquanto a gente refletia e procurava um novo contexto de vida para dona Diva, fui sentindo uma mudança de astral. Ela começou a trazer mais ideias e o "clique" aconteceu quando ela conseguiu imaginar como gostaria que fosse sua rotina de trabalho na Secretaria de Educação pelos próximos cinco anos – um novo horizonte, pelo menos, até a aposentadoria.

Para dona Diva, talvez pela primeira vez na vida, eram os sonhos dela que estavam no centro da discussão. Para mim, como coach, ela precisava se conhecer um pouco melhor por uma razão bem pragmática: dona Diva tinha que assumir sua autonomia para conseguir delimitar um escopo de atuação satisfatória dentro da nova estrutura da Secretaria de Educação. Sob o ponto de vista prático, a mudança mais visível foi a seguinte: em vez de insistir em ser supervisora dos diretores, ela descobriu sua capacidade de supervisionar as escolas, buscando identificar os pontos exatos em que poderia dar uma contribuição mais eficaz ao ensino.

Depois de nossos quatro meses de trabalho conjunto, dona Diva me tornou um coach satisfeito: parou de reclamar tanto, o clima melhorou (claro!), diminuíram os atritos com os diretores e a superintendente me agradeceu o voluntariado. Na verdade, quem tinha de agradecer era eu: a experiência profissional foi valiosa. Ali, visualizei claramente o poder de um pouco de autoconhecimento para revelar contextos e dar novo propósito à vida das pessoas. Dona Diva, portanto, foi mais uma semente do meu modelo de Liderança Contextualizadora. Até hoje, quando encontro alguém que me parece muito resistente a mudanças, muito inflexível e impermeável, penso: "Dona Diva, acorda!" e sorrio com a lembrança.

PROPÓSITO E REFLEXÕES PRAGMÁTICAS

Quando eu converso sobre autoconhecimento, especialmente com o pessoal mais jovem – meus alunos na faculdade, meus filhos ou mesmo com quem faz parte da minha equipe –, sempre fico com um pouco de receio de ser mal interpretado. Além daquela questão do autoengano de que já falei antes, minha proposta não é entrar numa de guru da transcendência, receitando fórmulas e manuais para atingir a consciência plena (*mindfulness*[5]). Embora valorize bastante a visão das forças que interferem no comportamento do indivíduo e na interação entre as pessoas do grupo (psicodinâmica), minha abordagem é muito pragmática. Para mim, o autoconhecimento é a oportunidade que cada pessoa se dá para ser ouvida por si mesma. Se você não abre espaço interno para se ouvir, quem é que vai estar disposto a ouvir você? Então, em primeiro lugar, meditar para mim é exatamente isso: dar tempo e espaço para me ouvir um pouco – sem barulho, sem a interferência, a opinião, a influência e as perguntas de ninguém ao meu redor. Nessa hora, estou em busca daquilo que faz mais sentido dentro de mim para depois fazer minhas "próprias melhores escolhas" – aquelas em harmonia com o meu propósito. Para tomar decisões vitais, acho que o percurso do processo deve acontecer do que se passa no nosso interior para a realidade exterior. Ou seja, é o seu próprio propósito que vai servir de fundamento para a sua escolha prática na vida real.

Costumo fazer essas minhas "reflexões pragmáticas" correndo pela manhã ou dirigindo o carro no trânsito ou tomando banho ou em qualquer momento em que tenho a oportunidade de estar quieto e sozinho. De repente, aquela questão que anda me inquietando reaparece e toma conta da

---

5 "O termo *mindfulness* refere-se à capacidade de prestar atenção, no momento presente, a tudo que surgir interna ou externamente. Trata-se de uma consciência plena da situação vivida sem se engajar em julgamentos ou no desejo de que as coisas sejam diferentes. O foco é na percepção consciente das experiências internas, observando o surgimento e o desaparecimento dos pensamentos e sentimentos sem se agarrar àqueles muito valorizados e sem tentar banir os dolorosos." Definição de Micheli Aparecida Gomes dos Santos, em Psicologia em Revista, v18, nº3, dez 2012. Disponível em: <http://pepsic.bvsalud.org/scielo.php?script=sci_arttext&pid=S1677-11682012000300012>. Acesso em: 14 set. 2016.

minha mente. Não divago, não devaneio, não escapo do assunto. Não é raro voltar desses mergulhos com alguma resposta ou com mais alguma pergunta que me ajuda a avançar na reflexão. Conversando com alguns amigos e conhecidos sobre isso, a maioria me disse que esse momento de foco, concentração e atenção (poderia chamá-lo mais tecnicamente de consciência plena) não é tão simples de ser alcançado. Conversar com o próprio umbigo é difícil. OK, se para você, abrir espaço para se ouvir também não é tão fácil assim, então recorra a outros métodos. Procure um coach, um psicoterapeuta, um curso de meditação... Não sei que tipo de exercício você vai precisar, mas eu sei que, ANTES de fazer escolhas vitais, é melhor você se dedicar a esse tipo de "reflexão pragmática" (ou, se preferir, meditação ou ainda exercício de autoconhecimento).

A única sugestão que posso lhe dar talvez seja a seguinte: defina como ponto de partida do processo de escolha ou decisão, uma pergunta objetiva e bem simples. Por exemplo, no caso da escolha da sua futura profissão, faça seus exercícios de reflexão pragmática sempre em torno da mesma questão: "Qual tipo de trabalho me deixaria mais satisfeito comigo mesmo? Para mim, como seria um dia ideal nessa profissão?". Em seguida, deixe a cabeça livre para voar alto e depois dar mergulhos rasantes. Use o sonho, a imaginação, a criatividade e vá do grande quadro aos mínimos detalhes do seu dia a dia nessa profissão.[6] Nessa parte do processo, você vai abrir espaço para ouvir sua essência, sua consciência mais profunda. Esse é o momento de buscar o seu propósito de vida, aquilo que mobiliza suas melhores energias e consegue arrancar você da cama pela manhã com boa disposição – ou, pelo menos, com o mínimo de reclamação. Descobrir e conhecer seu propósito é o seu objetivo agora. É o primeiro passo para você nunca virar uma "dona Diva" da vida. Costumo comparar o propósito ao Google Maps... Ele vai lhe dar a direção, mas você não pode parar de pensar e seguir em

---

6 Quando não tiver informações para imaginar como seria o dia a dia de trabalho em uma profissão, vá atrás: primeiro, busque informações nos caminhos formais (escola, professores, pais); depois nos mais informais (internet, amigos, conhecidos e profissionais da área – conheço um carinha que desistiu de ser dentista depois de passar só um dia no consultório do dentista amigo do pai dele, acompanhando a rotina do trabalho).

frente cegamente. Nem ficar parado, porque não vai chegar a lugar nenhum por melhor que seja o direcionamento recebido. Então, é importante que o propósito tenha tudo a ver com sua essência. Mas nessa busca, não empaque. Evite os propósitos espetaculares (todos nós queremos salvar o mundo!) Se estiver difícil chegar a uma definição, escolha antes um propósito inicial menor. Dê chance a uma ideia e vá em frente, experimentando sempre. Aproveite a jornada. Admire a paisagem. Use a reflexão pragmática. A sua melhor escolha é que vale.

EM BUSCA DA PRÓPRIA ESSÊNCIA, NA PRÁTICA!

Essa história de se autoconhecer para achar o propósito de vida em sintonia com sua essência é mais fácil falar do que fazer... Então, como faz? Para ser sincero, não sei. Cada pessoa tem seu jeito e, por isso, cada um encontra uma maneira diferente para buscar seu propósito. Outro dia estive em um evento em que a discussão girava justamente em torno desse tema: a busca do propósito de vida. Foram horas de discussão. Cada palestrante, inclusive eu, tinha uma abordagem diferente. Daquela conversa, o que pude registrar como único ponto unânime foi que a jornada do autoconhecimento é <u>sempre</u> recompensadora – apesar de exigir esforço, dedicação e disciplina. Bom, pelo menos isso: se o resultado vale a pena, então, vale o investimento. Daí, fiquei pensando como eu poderia tentar ajudar você na busca do seu propósito. E, por fim, lembrei que, ao longo da minha própria jornada de autoconhecimento tive – e ainda tenho – algumas percepções muito úteis. São como um app de trânsito, que indica o caminho para você chegar mais depressa aonde quer. Na prática, essas sensações dão dicas, são sinais que indicam onde pode estar o seu propósito:

› **Sabe quando** você está fazendo alguma coisa e esquece que horas são? Nem percebe que ficou ali muito tempo, totalmente distraído? O que é que faz você perder a noção do tempo? O que faz você esquecer o mundo ao seu redor? Essa atividade – que absorve sua inteligência e alegra seu coração – está em contato com sua essência.

› **Sabe quando** você volta para casa se achando o máximo? Durante o dia você esteve envolvido em alguma atividade, se dedicou a fazer bem feito, com prazer e deu tudo certo... Agora, você se sente cansado, mas está pronto para dormir o sono dos justos? Quando se sente assim, o que você esteve fazendo?

› **Sabe quando** você volta para casa se achando o "uó total"? Durante o dia você esteve envolvido em qual atividade? Por que isso derrubou desse jeito o seu astral? O que você fez? O que deu errado? Por quê? Identificar as atividades que não satisfazem a gente também ajuda a ir atrás do propósito. O primeiro passo da sua jornada pode ser descobrir aquilo que NÃO está em sintonia com a sua essência.

› **Sabe quando** você sente uma admiração profunda por alguém? Tente identificar o que exatamente faz você sentir essa admiração: o que aquela pessoa faz? Como ela faz? Por que ela faz? É a profissão da pessoa ou é algum outro atributo no comportamento dela? Mesmo que seja um cantor(a), além da voz e das músicas, o que faz que você seja fã? Não confunda, por favor, admiração com inveja ou ciúme. A admiração é uma sensação positiva que incentiva a sua motivação, que faz que você deseje se parecer com aquela pessoa naquele atributo específico.

› **Sabe quando** alguém pede ajuda para você? Na maioria das vezes, no que os outros querem que você ajude? É para ajudar a instalar equipamentos? É para ajudar a escrever um texto? É para ajudar a estudar? É para ajudar na cozinha? Ajudar a organizar? Em que sua ajuda costuma ser mais necessária? Isso é sinal de que os outros ao seu redor já perceberam que você sabe fazer isso, gosta e faz bem feito.

› **Sabe quando** está vendo um filme, ouvindo uma música, lendo um livro... e, de repente, você se sente profundamente comovido? O que exatamente causa esse tipo de emoção em você? Qual a causa em comum a todos esses momentos em que você chora ou quase chora pela emoção mais espontânea?

Mesmo que você ache que chora à toa, tente identificar o motivo em comum dessas situações.

> **Sabe quando** chegar aquele dia em que alguém vai convidar você para fazer uma palestra? Feche os olhos depressa: sobre qual tema você gostaria de falar? Qual assunto você gostaria de conhecer tão bem a ponto de ser convidado a dar uma palestra? Que tema você já conhece bem e gostaria de conhecer muito mais?

Identifique essas e outras situações do tipo "sabe quando" no seu dia a dia e fique atento para tentar entender o que elas estão contando sobre você mesmo.

Outro ponto bastante positivo desses exercícios de reflexão pragmática é que você se torna mais capaz de manter o nível de ansiedade sob controle. Por mais que os mais velhos em volta achem que você está parado, você tem consciência de que está avançando; está conversando com você mesmo para fazer "a própria melhor escolha possível". Então, relaxa e fica mais tranquilo, sem dar importância exagerada à opinião alheia. Outro dia li um artigo interessante,[7] que dizia mais ou menos o seguinte: a gente só fica com raiva da opinião dos outros sobre nós ou até mesmo daquilo que os outros nos xingam, quando ainda não se conhece o suficiente. Ou seja, a raiva da opinião alheia seria consequência direta da nossa falta de autoconhecimento. Por exemplo: quando alguém nos acusa de ser mau caráter, a reação só vai ser explosiva e raivosa, quando talvez – lá no fundo, bem no fundo – a gente ainda tem alguma dúvida ou incerteza a respeito do próprio caráter.

No caso específico da escolha da profissão, essa ideia se aplica da seguinte maneira: os mais velhos ao seu redor podem fazer todas as perguntas

---

7 Infelizmente, dessa vez não consegui lembrar o autor. Nesses meus processos de "piramidar ideias", de vez em quando me escapa onde foi que li, ouvi ou aprendi algo que se tornou importante nas minhas reflexões.

que quiserem sobre sua futura escolha; você só vai comprar a ansiedade deles se não parar, refletir e buscar a consciência plena de que está no seu caminho para tomar a sua melhor decisão. Em tempos de polarização diária nas mídias sociais, vale o mesmo raciocínio. Os "amigos" podem falar/escrever o que quiserem na sua linha do tempo no Facebook. Como você se conhece – talvez um pouco melhor do que eles a si mesmos –, não vai entrar mais em briga que não vale a pena. Não estou dizendo que o autoconhecimento vai transformar você numa massa amorfa sem opinião própria. Nem que sua mente estará tão liberta quanto a de um monge eremita. Mas você passa a trocar ideias só quando percebe que a conversa vai conduzir à evolução conjunta. Ou seja, você entende que, entre o piti raivoso e o silêncio omisso, existe, sim, a possibilidade de diálogo mais justo, equilibrado[8] e construtivo.

Um pouco de autoconhecimento também ajuda a estabelecer metas viáveis. Você é jovem, use o tempo a seu favor. Você já conseguiu dar uma neutralizada na transferência de ansiedade dos mais velhos. Agora, precisa traçar um processo interno que atenda à sua expectativa de prazo. Até quando você pode se dar tempo? Quantos meses você ainda tem para se ouvir? Tenho visto muitos projetos fracassarem porque a ansiedade não deixa as pessoas definirem metas viáveis. Ou então, porque, em vez de manter o foco da ação no presente, a mente lança o olhar para o objetivo futuro – o que só faz crescer a ansiedade. Isso é o oposto da tal *mindfulness* (consciência plena). Na ansiedade, a gente pensa no futuro e/ou se arrepende do passado. Para piorar, fica paralisado no presente. Já quando a gente se aproxima um pouco mais da consciência, isso ajuda a identificar qual ação deve ser realizada AGORA para que o objetivo futuro seja alcançado. Além disso, quando você conclui cada ação, fica satisfeito e ainda mais tranquilo para seguir na sua caminhada.

---

[8] Sobre essa questão das relações interpessoais mais maduras e justas, sugiro a leitura do livro do Flávio Gikovate, *O bem, o mal e mais além* (São Paulo: MG Editores, 2005).

A maioria de nós faz bastante confusão entre ações no presente e objetivos no futuro – com resultados sempre insatisfatórios. Um exemplo bem trivial é quando a pessoa quer emagrecer. Ela define que quer perder 10 quilos em cinco meses e a data para começar a dieta: próxima segunda-feira, dia 01 de abril. No dia seguinte, a ansiedade já tomou conta: "Eu não posso comer chocolate por cinco meses! Não vou aguentar! Ah, que vontade de comer chocolate!". Na sexta-feira, ela não aguenta mais e come o chocolate. No sábado, toma uma cervejinha para relaxar. E, no domingo, que ninguém é de ferro, tem feijoada! Na segunda, dia 08 de abril, tenta começar tudo de novo... e a ansiedade só aumenta e torna cada vez mais difícil suportar a dieta.

Nessas horas, em minha opinião, o que falta é um bom exercício de reflexão pragmática. É nesse tipo de situação que a visão sistêmica se aplica muito bem também na nossa vida pessoal. Emagrecer 10 quilos em cinco meses é o objetivo futuro? Então, identifique o processo, os recursos e as ações necessárias para atingi-lo. Depois divida o processo como um todo em etapas menores e estabeleça as metas viáveis. Para perder dez quilos em cinco meses, suas metas podem ser, por exemplo: emagrecer 0,5 kg por semana; fazer exercícios às segundas, quartas e sextas; e ir à feira aos sábados comprar frutas e verduras frescas. Se essas metas forem viáveis para você, pare de pensar no futuro e entre em ação no presente. Garanto que você vai chegar mais magro ao próximo verão – e menos ansioso. No próximo capítulo, vamos aplicar esse mesmo raciocínio ao processo de escolha da sua futura profissão.

MOTIVAÇÃO, MAESTRIA E AUTONOMIA

Como Édipo diante da esfinge,[9] é a coragem de se lançar em busca do autoconhecimento pelas reflexões pragmáticas que leva você a identificar o seu propósito. Mas, por enquanto, tudo isso está acontecendo apenas

---

9 Leia ou releia pelo menos o box do Capítulo 2: "Édipo e a esfinge em dois parágrafos".

dentro de você, na conversa entre o seu umbigo e os seus botões. Por fora, ninguém percebe nada. Pode ser que os mais velhos continuem até bombardeando você com perguntas. Mantenha a tranquilidade em alta e a ansiedade em baixa. Com a continuidade do processo, os outros vão sentir você transformado, talvez até mais amadurecido. Enquanto isso, por dentro, você vai estar sentindo o que se chama de motivação. É aquele gás, aquela energia que arranca você da cama de manhã – "quase numa boa". Esse é o primeiro resultado visível do processo de autoconhecimento. A motivação é o primeiro estágio de aproximação entre o que você é POR DENTRO (contexto interno subjetivo) daquilo que você expressa nos comportamentos e atitudes POR FORA (realidade externa objetiva), como mostra a Figura 4.2.

Figura 4.2 O autoconhecimento amplia a interseção entre as duas dimensões

Visão sistêmica e da psicodinâmica das relações

Você por dentro — Você por fora

autoconhecimento, propósito, motivação, maestria, autonomia

Liderança na própria vida

As próprias melhores escolhas

Fonte: O autor.

Há uma longa e antiga discussão a respeito do que é a motivação e de quais são os fatores realmente capazes de motivar as pessoas. Antigamente, muitos especialistas (e outros nem tanto) chegaram a defender a ideia de que a motivação podia ser gerada também por estímulos extrínsecos às pessoas. Por exemplo, quanto maior a remuneração, maior a motivação e, portanto, melhor o desempenho profissional. Na prática, infelizmente, parece que muita gente ainda acredita nisso no universo corporativo – tanto entre os funcionários quanto entre os empregadores. Gradativamente, porém, a abordagem avança e se torna mais sofisticada, reconhecendo que o comportamento humano é bem mais complexo do que um simples reflexo exterior do valor do salário. Por essa outra perspectiva, a motivação resultaria fundamentalmente de fatores intrínsecos (propósito, liberdade e criatividade).[10]

Com minha experiência profissional e sendo fã de Aristóteles, eu, por minha vez, observo que a virtude está no meio-termo:[11] para mim, a motivação resulta de fatores intrínsecos devidamente reforçados por recompensas extrínsecas – desde que dignas e justas. Vamos falar mais sobre isso no próximo capítulo, mas a ideia básica é a seguinte: salário não basta; a pessoa só oferece seu engajamento integral (lógico e emocional) no trabalho diário quando conhece o seu propósito de vida – um processo continuamente estimulado pelo líder contextualizador.[12]

O processo de autoconhecimento gera uma energia extraordinária que vai fazer que você, sem nem se dar conta, dê um passo adiante e continue avançando indefinida e incansavelmente. Como em todo sistema, uma coisa leva à outra: a busca do autoconhecimento faz que você tome consciência do seu propósito, o que dispara o gatilho dos seus fatores intrínsecos de motivação e, como consequência, com a maior naturalidade, você passa a procurar o aprendizado contínuo. É que o seu propósito revela o que você gosta de fazer. E, como gosta de fazer, quer fazer sempre bem feito, melhor

---

[10] Para ir além nessa discussão, recomendo a leitura do livro de Daniel H. Pink, *Motivação 3.0: os novos fatores motivacionais para a realização pessoal e profissional* (Rio de Janeiro: Elsevier, 2010).

[11] Para entender a virtude do meio-termo na ética aristotélica, dá uma lida no site Consciência. org no resumo e análise de Ética a Nicômaco, do professor Josemar Pedro Lorenzetti. O tópico As Virtudes (2.2) está disponível em: <http://www.consciencia.org/etica-a-nicomaco-resumo-e-analise#_Toc78270219>. Acesso em: 17 set. 2016.

[12] Sim, essa frase é uma síntese de muitos conceitos já expostos até aqui! Se parece difícil de compreender, vale reler os três primeiros capítulos.

do que antes. É a soma do propósito e da motivação que lhe proporciona alguns bons prazeres da vida: primeiro, o de aprender (teoria); e depois, o de realizar (prática). Esses prazeres, por sua vez, vão reforçar positivamente o seu propósito e renovar as energias depositadas na motivação. Reabastecido e renovado, você se move proativamente na direção do aprimoramento das suas habilidades e competências. Busca a maestria (excelência) no que faz com prazer porque gosta de fazer.

Ao longo desse processo que se retroalimenta, formando um sistema virtuoso, pouco a pouco as duas dimensões do ser (subjetiva e objetiva) vão se aproximando. Nesse estágio, a maestria somada ao propósito e à motivação, tornam você apto a assumir sua autonomia à frente da própria vida. Quanto mais você fizer as reflexões pragmáticas e melhor se conhecer, mais vai ampliar a interseção entre as duas dimensões. Ou seja, mais fortemente vai se apoderar de sua autonomia. Nesse dia, ninguém vai chegar para você e dizer: "OK, você está pronto, assuma a liderança da sua vida". O mais provável é que, absorto no processo do autoconhecimento, você nem perceba que aprendeu a ser líder de si mesmo. É nesse momento que você atinge um estágio superior de amadurecimento e consciência, que pode ser considerado adulto.

Vale um pequeno parêntese aqui. Gosto de fazer essa distinção entre o que chamo de "mais velho" e a pessoa adulta. A pessoa mais velha tem mais tempo cronológico de vida, mas isso não garante que tenha conseguido avançar proporcionalmente na jornada do autoconhecimento. Já vi gente mais velha ainda infantil; é o caso da dona Diva – só para ficar num exemplo deste mesmo capítulo. Ela queria que o mundo exterior fosse diferente. Queria que tudo se adaptasse a ela. Como isso não acontecia, então ela se frustrava e não parava de reclamar. Quando dona Diva se conheceu um pouco melhor e achou um propósito – pelo menos, temporariamente, passou a ter um comportamento de adaptação muito mais produtivo – para ela e para todo mundo ao redor. Portanto, você deixa de ser jovem e passa a ser adulto quando se apodera de sua autonomia e assume a liderança de suas escolhas. É o começo de sua jornada em direção à Ítaca, uma metáfora que aprendi com o poeta Kaváfis:[13]

> Quando partires em viagem para Ítaca
> faz votos para que seja longo o caminho,
> pleno de aventuras, pleno de conhecimentos.
> Os Lestrigões e os Ciclopes,
> o feroz Poseidon, não os temas,
> tais seres em teu caminho jamais encontrarás,
> se teu pensamento é elevado, se rara
> emoção aflora teu espírito e teu corpo.
> Os Lestrigões e os Ciclopes,
> o irascível Poseidon, não os encontrará,
> se não os levas em tua alma,
> se tua alma não os ergue diante de ti.
>
> Faz votos que seja longo o caminho.
> Que numerosas sejam as manhãs estivais,
> nas quais, com que prazer, com que alegria,
> entrarás em portos vistos pela primeira vez;
> para em mercados fenícios
> e adquire as belas mercadorias,
> nácares e corais, âmbares e ébanos
> e perfumes voluptuosos de toda espécie,
> e a maior quantidade possível de voluptuosos perfumes;
> vai a numerosas cidades egípcias,
> aprende, aprende sem cessar dos instruídos.

---

13 Konstantínos Kaváfis (1863-1933) – nascido em Alexandria (Egito) em uma grande comunidade grega, conhecia muito pouco o árabe, mas escrevia versos em grego, francês e inglês. Embora tenha sido um burocrata do Ministério de Obras Públicas durante trinta anos, acho que o propósito de vida de Kaváfis foi a poesia. Combinando símbolos da cultura greco-romana em seus versos, é considerado um dos maiores poetas da língua grega moderna. O poema Ítaca está no livro *Poemas de K. Kaváfis* (São Paulo, Odysseus Editora, 2006).

Guarda sempre Ítaca no teu pensamento.
É teu destino aí chegar.
Mas não apresses absolutamente tua viagem.
É melhor que dure muitos anos
e que, já velho, ancores na ilha,
rico com tudo que ganhaste no caminho,
sem esperar que Ítaca te dê riqueza.

Ítaca deu-te a bela viagem.
Sem ela não te porias a caminho.
Nada mais tem a dar-te.

Embora a encontres pobre, Ítaca não te enganou.
Sábio assim como te tornaste, com tanta experiência,
já deves ter compreendido o que significam as Ítacas.

ÍTACA E ULISSES EM DOIS PARÁGRAFOS

Por enquanto, o que você precisa saber sobre Ítaca e Ulisses é o seguinte: Ulisses, rei da ilha de Ítaca, vai lutar na Guerra de Troia, deixando para trás a esposa Penélope e o filho pequeno, Telêmaco. Durante a luta contra os troianos, os gregos recebem o apoio de Poseidon, o rei dos mares, que envia um monstro para atacar Troia. Encerradas as lendárias batalhas, o poeta Homero conta em seu livro chamado Odisseia, as peripécias vividas por Ulisses enquanto tentava retornar para casa. Durante mais de dez anos, ele e seus companheiros enfrentam calamidades e são desafiados por adversários mitológicos como lestrigões (gigantes antropófagos), ciclopes (gigantes imortais com um único olho), sereias e bruxas... Até que, finalmente, Ulisses reencontra Telêmaco que, já crescido, havia ido à sua procura. Os dois retornam para Ítaca.

Lá no reino, porém, a longa ausência de Ulisses deixou Penélope numa situação difícil. Usurpadores do trono diziam que o rei estava morto e faziam fila para se casar com a rainha. Alegando que só se casaria quando terminasse de tecer um manto, Penélope tecia durante o dia e à noite desfazia o trabalho todo. Assim foi ganhando tempo. Avisado por Telêmaco do ambiente hostil que encontraria entre os pretendentes de Penélope, Ulisses disfarçou-se de mendigo e conseguiu entrar no palácio. Apenas a esposa o reconheceu. Para o grupo de pretendentes que a pressionava, Penélope propôs o seguinte desafio: ela se casaria com aquele que fosse capaz de lançar uma flecha, curvando o antigo arco de Ulisses. Nenhum deles conseguiu e, então, o mendigo recém-chegado tomou o arco, curvou-o e lançou a flecha. Ulisses estava finalmente de volta a sua Ítaca, ao lado da esposa e do filho amados. No poema de Kaváfis, a odisseia de Ulisses se transforma em uma analogia com nossa jornada pelo autoconhecimento: mais do que riqueza, nossas Ítacas são a satisfação pela conquista de uma vida plena, rica em aprendizados.

FICA A DICA: SUBJETIVO X OBJETIVO

No processo de escolha profissional, você precisa ter consciência de que está diante de duas metas: uma subjetiva e outra objetiva. A dimensão subjetiva é tudo aquilo que se passa dentro de você e tem uma característica única, pessoal e intransferível. É a sua singularidade como indivíduo, o seu jeito de ser. É nesse universo interior exclusivo que você mergulha para buscar a essência de sua subjetividade, o seu propósito de vida. Antes de formar essa autopercepção (mesmo que ainda sutil e pouco clara), qualquer escolha objetiva que você faça na realidade exterior pode ser mais arriscada. Primeiro, porque essa escolha fica mais sujeita à influência direta dos mais velhos à sua volta; segundo, porque você corre um risco mais alto de escolher uma profissão que não esteja em sintonia com o seu jeito de ser; e terceiro porque a falta da autopercepção do próprio propósito de vida escancara a porta para o autoengano. A primeira e a segunda hipótese não são o fim do mundo. Se logo depois de entrar na faculdade você perceber que não fez a melhor escolha, basta dar um tempo e refazer o caminho... o mais rápido possível. Sob o ponto de vista do mercado, é mais fácil fazer isso aos 20 e poucos anos do que na casa dos 40. Tudo pode a qualquer tempo, mas não dá para negar que fazer antes é melhor. Como já disse, minha abordagem é bem pragmática.

Em relação à terceira hipótese, o autoengano, a situação é mais complexa. Todo mundo conhece, de perto ou de longe, alguém que fez uma escolha equivocada e passou a vida inteira sem se dar conta. A pessoa insiste em ter um propósito de vida e escolhe uma profissão para a qual – muito objetivamente falando – não possui o talento e as competências fundamentais. É mais comum isso acontecer com as profissões artísticas: música, canto, literatura, pintura, balé... Outro dia na *Folha de S. Paulo*, a Tati Bernardi[14] escreveu um artigo falando de um cara que queria ser escritor. Ele largou o emprego para escrever um romance. Ou seja, abriu mão daquilo que lhe pagava as contas e dava garantia de autonomia para abraçar o que ele chamava de propósito de vida. Só que ele reformou a casa, depois mudou de lá, mudou de cidade, gastou tempo e dinheiro e não escreveu nada... O tempo passou e ele acabou voltando ao emprego anterior, que sempre detestou. Ainda bem que tinha emprego para voltar. Esse personagem – tão real – confunde sonho e devaneio com propósito de vida, confunde desejo com necessidade e, infelizmente, acaba não chegando a lugar nenhum. Esse não é o seu caso, você sabe aonde quer chegar. Ítaca está à sua espera. Então, na jornada do autoconhecimento, mergulhe fundo na sua subjetividade, mas nunca perca de vista a objetividade!

TESTE FINAL DE APOIO DIDÁTICO

REFLITA E RESPONDA:
1. A pessoa mais velha é apenas aquela que tem mais tempo cronológico de vida do que a gente. Para o autor, qual a diferença que existe entre ser mais velho e ser adulto?

---

14 Vale a pena ler o texto inteiro de Tati Bernardi na sua coluna de 09 set. 2016 na *Folha de S. Paulo* com o título "Tudo o que é preciso para fazer literatura". Disponível em: <http://m.folha.uol.com.br/colunas/tatibernardi/2016/09/1811567-tudo-o-que-e-preciso-para-fazer-literatura.shtml?-mobile>. Acesso em: 18 set. 2016.

2. A abordagem da Liderança Contextualizadora pode ser aplicada ao processo de escolha profissional pelo jovem. Quais são as duas principais etapas do processo? Explique agora a dimensão subjetiva (você por dentro).

3. Sem o antídoto benéfico do autoconhecimento, o autoengano poderia dominar nossa vida. Como o exercício de reflexão pragmática pode ajudar você a fazer escolhas mais objetivas e satisfatórias?

4. Depois que a gente é afortunada e identifica o próprio propósito de vida, a motivação encontra energias sempre renovadas. Aí o foco se volta para a conquista da maestria nas próprias competências e habilidades. Essa motivação resulta de estímulos externos e/ou internos? Explique.

5. Toda escolha tem sempre pelo menos duas dimensões: a da subjetividade e a da objetividade. Essas dimensões devem ser separadas ou integradas no processo das escolhas vitais?

5

SUA ÚNICA ESCOLHA É ESCOLHER

> Em nenhuma fase da vida humana o desprezo pelo risco e a esperança presunçosa de sucesso se encontram mais ativos do que naquela idade em que os jovens escolhem sua profissão.
>
> Adam Smith[1]

O que você prefere: escolher ou ser escolhido? Essa é a primeira escolha que você tem de fazer para conseguir definir qual é o processo de fazer escolhas que mais combina com o seu jeito de ser. Tem gente que canta "deixa a vida me levar, vida leva eu" e vai seguindo em frente. Mas também tem gente que escolhe aonde quer ir e faz reserva antecipada: "Avisa lá, avisa lá que eu vou, avisa lá que eu vou!". É tudo uma questão de estilo. Melhor colocar em termos práticos: você prefere trabalhar na empresa que escolher você em um processo de seleção (qualquer que seja essa empresa!) ou prefere escolher ANTES em qual empresa gostaria de trabalhar? Ou, pelo menos, escolher antes em qual tipo de empresa quer trabalhar? Percebe a diferença? Você pode "aceitar" a empresa que selecionar

---

[1] Adam Smith (1723-1790) – filósofo e economista escocês, publicou o primeiro volume de seu livro clássico *A Riqueza das nações* em 1776, lançando a base do liberalismo econômico: o empreendedor, movido pela racionalidade e pelo próprio interesse, seria conduzido por uma "mão invisível" a produzir em favor do bem-estar da sociedade. Estaria tudo certo, se fôssemos capazes de agir sempre racionalmente. Vamos falar um pouco dessa discussão mais adiante nesse mesmo capítulo.

você ou "escolher" a empresa que vai aceitar você, porque os dois perfis estão em boa sintonia. Pela minha experiência profissional e de vida, a segunda opção tem mais chances de dar certo. Ou seja, como adulto,[2] você exercita a sua autonomia para fazer as melhores escolhas e maximiza a probabilidade de chegar a resultados extraordinários.

Já deu para perceber, portanto, que, em minha opinião, entre ser escolhido e escolher, a melhor opção é fazer as próprias escolhas. Mesmo porque, segundo Sartre,[3] até quando alguém toma a decisão de não escolher nada, já está fazendo uma escolha. E, claro, abrindo mão daquilo que poderia ter escolhido proativamente. Se você quer ficar fora da turma que "deixa a vida me levar", então, consequentemente, está escolhendo fazer as próprias escolhas. E vai ter muito trabalho pela frente. A vida de cada um de nós – sem exceção – é uma sucessão diária de escolhas das mais triviais às mais vitais. Todos os dias, por exemplo, a gente escolhe a roupa que vai usar (e o que essa roupa vai contar sobre nós aos outros) ou o que vai comer na hora do almoço (comida vegana ou churrasco). Na paralela, tem também que tomar decisões fundamentais, como escolher "o que vai ser quando crescer" ou o perfil da empresa em que quer ir trabalhar. Como adulto, sua única escolha é fazer escolhas.

ESCOLHER É PRATICAR A AUTONOMIA

Retomando algumas ideias do capítulo anterior, fazer escolhas é colocar o que você é por dentro em ação na realidade exterior. Quer dizer: são suas escolhas que definem O QUE você é. Fácil falar, difícil fazer. Em

---

[2] Para mim, existe diferença entre ser "mais velho" e "ser adulto": minha definição dessa ideia, como já visto, está no Capítulo 4.

[3] As ideias de Jean-Paul Sartre sobre liberdade e escolha estão bem resumidas no artigo "Sartre e o existencialismo", de Ilda Helena Marques, publicado na Revista Eletrônica da Funrei (Fundação de Ensino Superior de São João del-Rei da UFSJ), nº1, julho 1998. Disponível em: <http://www.ufsj.edu.br/portal2-repositorio/File/lable/revistametanoia_material_revisto/revista01/texto09_existencialismo_sartre.pdf>. Acesso em: 05 out. 2016.

primeiro lugar, porque em volta da gente sempre existe aquele "toró de palpites". Ninguém é mal-intencionado, nem está a fim de atrapalhar você. Mas, desde que a gente nasce, as pessoas formam expectativas em relação a nós. Tenho uma amiga, por exemplo, que decretou – ainda na maternidade – que o filho recém-nascido ia ser um neurocirurgião de $uce$$o. Essas expectativas alheias podem ser bem mais sutis (e mais difíceis de evitar). O que, às vezes, as pessoas mais velhas esquecem é que <u>é você</u> que tem de conhecer o seu jeito de ser e fazer as suas próprias melhores escolhas. Para tentar neutralizar esse tipo de influência, que de vez em quando fica realmente pesada, ponha em prática a sua autonomia, arduamente conquistada com os exercícios de autoconhecimento.[4]

Depois de contornar esse primeiro obstáculo, chegou a sua vez de fazer as melhores escolhas. Porém, em vez de ficar mais fácil, a coisa toda fica ainda mais complexa. Diante de você está aberto um universo de possibilidades. Todas as escolhas têm vantagens e desvantagens. No balcão da sorveteria, existem 100 sabores diferentes. Você é livre para escolher o mais exótico e desconhecido ou... pode escolher o de baunilha, que você já conhece e sabe que gosta. Essa é uma escolha dentro da sua zona de conforto. É por isso que, em inglês, se usa a palavra *"vanilla"* (baunilha) para definir alguma coisa que não excita, é aborrecido, normal e convencional. De vez em quando, tudo bem, mas escolher <u>sempre</u> o sabor baunilha é ter uma atitude ordinária diante da vida. O pior é fazer escolhas ordinárias e esperar resultados EXTRAordinários. Quando a gente fica só com o sabor baunilha, que costumo dizer que é fazer "escolhas bege" (quer cor mais sem graça?), pode até achar que está optando pela segurança, mas está, na verdade, aumentando as chances de frustrar as próprias expectativas. A vida toda vai ficando meio bege, meio morna demais. Nos casos mais agudos, pode até causar depressão.

É por isso que eu, pessoalmente, não gosto de falar em fazer "as melhores escolhas possíveis" – prefiro apenas "melhores escolhas". O possível é o que está dentro da caixa. No seu universo de escolhas, o possível é demar-

---

[4] Se tiver dúvidas aqui, reveja a Figura 4.2 no capítulo anterior (p. 83).

cado por tudo aquilo que você sabe que conhece e chega ao limite máximo daquilo que você sabe que ainda não conhece. Essas são as fronteiras do seu possível hoje. Só que existem muitas outras opções fora desses limites, onde está tudo aquilo que você nem sabe ainda que não conhece (Figura 5.1). É lá também que estão os imprevistos, os incidentes positivos e/ou negativos que a vida vai lhe trazer (traz para todo mundo e você não será exceção). Quando você faz uma escolha, sempre vai estar abrindo mão de alguma outra possibilidade, já conhecida ou ainda desconhecida. Tem gente que convive bem com isso. Para outras pessoas, é uma tremenda fonte de dúvidas. Dá ansiedade, angústia e medo.

Não dá para escapar totalmente desses sentimentos. Qualquer escolha trivial ou vital envolve uma dose de risco e muita incerteza. Lembra a diferença entre risco e incerteza? Risco é aquilo que você pode medir, avaliar e, portanto, agir para reduzir. Já sobre as incertezas... você não sabe nada e, então, não pode fazer nada. Diante de um risco, faça uma escolha e entre em ação. Diante de uma incerteza, relaxe e siga em frente sem se preocupar, porque não há o que você possa fazer. Por isso, não ceda à tentação de fazer "escolhas bege" só para se sentir mais seguro. Mesmo ficando paralisado dentro da caixa, você estará sujeito às incertezas. E também a diferentes riscos. Um deles é tornar a vida muito monótona. Para driblar essa armadilha, procure manter consciente o seguinte: você é livre para exercer sua autonomia, mas nunca ninguém jamais terá o controle absoluto da própria vida. Você não é sobre-humano, ninguém é. Apesar disso, você pode tudo o que realmente quiser se estiver em sintonia com seu propósito. Só não pode ficar parado. Isso não é propósito. É desperdiçar a vida.

A frase do Adam Smith em destaque no começo desse capítulo, porém, chama a atenção para outro extremo dos processos de escolha, que pode acontecer, especialmente quando a gente é mais jovem (mas atinge também gente mais velha). Em vez de paralisar diante da infinitude das escolhas, a pessoa "se acha". Já nasceu sabendo tudo e foi escolhido pela vida para ser o sucesso absoluto. É o último biscoito do pacote, a única Coca-Cola no deserto... Você conhece alguém assim. É aquele tipo que vai ser *trainee* em uma grande empresa e, em vez de se abrir para aprender, chega querendo "mandar no chefe". Como ouviu alguém dizer que a inovação é um dos pilares estratégicos do negócio, acha que o simples fato de ser jovem já lhe credencia como inovador. O chefe pede alguma coisa, mostra como tem que fazer e o carinha nem ouve: o mundo não sabe ainda como ele é genial!

O que gente assim esquece é que não há inovação nenhuma em reinventar a roda. Qualquer inovação só é inovadora mesmo quando aplica todo conhecimento possível (disponível) para criar o que ainda era impossível (Figura 5.1). Se a pessoa é inexperiente e ainda não conhece TUDO que já está lá dentro dos limites do possível, vai acabar apenas (re)criando. Para inovar, precisa antes ter maestria, isto é, o domínio do conhecimento e das competências necessárias para atingir esse resultado extraordinário. Tenho um amigo que está com um filho exatamente nessa fase e foi tentar conversar: "André, pegue leve, tente ir mais devagar...". E a resposta: "Pai, só vai devagar quem tem medo da vida, que nem você!". Fim da tentativa de diálogo. Quando meu amigo me contou, ficamos os dois quietos; duplamente preocupados, mas sem poder fazer nada. André é jovem, mas está agindo justamente como Smith já falava no século XVIII: o cara tem uma "esperança presunçosa" na própria capacidade e sente "desprezo pelo risco". Se a vida já traz *i-ne-vi-ta-vel-men-te* incertezas, para que dobrar a aposta nos riscos?

Figura 5.1 As melhores escolhas estão além dos limites do possível

Fonte: O autor.

Como é, então, que a gente faz a melhor escolha, aquela que tem o potencial de levar aos resultados extraordinários? Melhor escolher com o coração ou com a razão? Quando faço a abordagem do processo de escolhas tendo como ponto de partida o autoconhecimento ou quando falo em descobrir a própria essência e agir em sintonia com seu propósito de vida, um dos meus receios é ser entendido por você como alguém que está privilegiando as escolhas feitas apenas com as emoções. Se você entendeu assim, é porque até agora não consegui me expressar direito. Para evitar qualquer equívoco desse gênero, melhor a gente dar uma parada. Para você fazer suas melhores escolhas, primeiro tem que se autoconhecer e, em seguida, conhecer o contexto em que vai realizá-las. Por isso, antes de seguir em frente, melhor falar um pouco mais sobre esse falso dilema entre escolher com o coração ou com a razão. Leia antes, por favor, o texto *Razão e emoção em quatro parágrafos* neste mesmo capítulo.

Agora você já conhece um pouco mais sobre os limites da nossa racionalidade. Além disso, sabe que existe a possibilidade de melhorar o processo de fazer escolhas somando a razão e a emoção para multiplicar os resultados. Então, vamos partir para a prática.

REFLEXÃO PRAGMÁTICA EM SITUAÇÕES REAIS

Para tentar ajudar você a definir como deve ser o seu próprio processo de escolha, vou fazer uma das coisas que mais gosto: contar histórias – minhas e dos outros. Assim, a gente aplica a ideia das "reflexões pragmáticas" em situações reais e tem, inclusive, a chance de avaliar o processo de cada pessoa e o resultado alcançado. Você pode ir adotando o que gostar para montar o seu próprio processo de fazer escolhas. É aqui que começa a parte prática daquela promessa que fiz no capítulo anterior. Primeiro, a gente conversa sobre COMO escolher e depois decide O QUE escolher.

Vou começar com uma história minha, que poderia se chamar *O dia em que eu deixei de ser a cabeça da sardinha e me tornei o rabinho da baleia*. Mas, como eu confiei (sem querer, é verdade) no processo de escolha, aquele que eu defini para mim, a coisa toda teve final feliz. Mas, enquanto estava vivendo, não sabia disso... então, claro, vivi momentos de muita dúvida e ansiedade, exatamente iguais àqueles que todo mundo vive ao fazer escolhas. Chega de papo paralelo, vamos à história:

Estava com 30 anos, casado e com dois filhos, e trabalhava há oito anos naquela montadora de automóveis de que já falei em capítulos anteriores. Tudo parecia tranquilo: conhecia todo mundo e todo mundo parecia gostar de mim e do meu trabalho. Olhando para trás, percebo agora que até isso me inquietava um pouco. "Será que eu sou mesmo competente no que eu faço ou as pessoas aceitam minhas 'falhas' porque gostam de mim?". Se já tivesse a maturidade de hoje, é provável que entendesse essa dúvida sobre a minha competência como um sinal[5] de que a carreira estava confortável demais, ficando meio bege e desbotada. Hoje, sei que gosto de sair da caixa. Mas, naquela época, ainda não sabia disso, meu nível de autoconhecimento era insuficiente. Foi, então, que a vida trouxe o imprevisto e me convidaram para participar de um processo seletivo. Era para ser o líder de RH de uma gigante multinacional na área de alimentos. Cumpri todas as etapas e acabei sendo escolhido (também ainda não escolhia ANTES aonde queria ir trabalhar). E aí deu frio na barriga. Vou ou não vou?

Parei para pensar e senti necessidade de trocar ideias com os outros, ouvir o que gente mais experiente tinha para me dizer. Isso é bem diferente de se deixar influenciar pelo "toró de palpites" ao redor. Quando a gente tem alguma dúvida sobre alguma questão prática e real, tem que se abrir para OUVIR quem conhece melhor aquela questão

---

5 Esse é aquele tipo de sinal que eu explico no Capítulo 4. "Sabe quando" a gente está tão bem em uma situação, que começa a duvidar de si mesmo? Nesse caso, tente ouvir melhor a sua essência.

específica. Não é sentar no boteco e falar com os amigos. É buscar informações para formar o contexto da melhor escolha. Bom... o fato é que ouvi algumas pessoas e a maioria foi contra eu sair da montadora, onde eu "já tinha uma carreira confortável e bem encaminhada". Só uma investiu mais tempo em mim e foi além daquilo que eu já sabia que conhecia... Fizemos uma pesquisa sobre o perfil da multinacional de alimentos, ele me explicou a dimensão global do negócio e me apresentou uma série histórica da evolução das ações da companhia nas principais bolsas de valores do mundo. Foi esse cara que me mostrou que, além das fronteiras da montadora, onde eu me sentia a "cabeça da sardinha", havia o desconhecido esperando por mim. Deu vontade de encarar o desafio.

Depois da primeira semana, já estava profundamente arrependido. Naquele ambiente novo, eu era desconhecido. Achava que minha competência estava sendo colocada em xeque, me sentia ameaçado. De "cabeça da sardinha" na montadora, tinha virado o "rabinho da baleia" naquela multinacional gigante. Era como se meu trabalho tivesse deixado de ter valor e relevância para o negócio; a autoestima ficou a zero. Além disso, como a companhia tinha muitas fábricas pelo país, era preciso viajar com frequência. Aquilo não era nada bom para o pai de dois filhos pequenos, um deles, recém-nascido. À noite na cama, eu tramava maneiras de "ser convidado" a voltar para a montadora. Mais do que arrependido, estava angustiado. Hoje, sei que estava com a síndrome do medo do novo. Ao aceitar o convite, cruzara a minha fronteira do possível (Figura 5.1) e não sabia ainda o que podia encontrar no impossível. Podia ser um desastre, podia ser uma inovação salutar.

A coisa toda estava um horror! Até o momento em que comecei a conviver um pouco mais com meu novo CEO e descobri nele um líder contextualizador. No começo da década de 1990, ele já era proativo na comunicação transparente. Gostava de falar diretamente com os funcionários e propunha eventos sobre estratégia e resultados, levando toda a diretoria para reuniões no chão de fábrica. E depois abria espaço para quem quisesse fazer perguntas. Em um desses eventos, um funcionário perguntou o valor do Descanso Semanal Remunerado (DSR). Lá de cima do palco improvisado na fábrica, o CEO respondeu: "Eu não sei o valor do DSR. Mas o Sergio sabe. Vem aqui, Sergio, por favor, e explica...". Eu? O quê? Onde? Senti o coração batendo dentro da cabeça. Não conseguia nem ouvir meus pensamentos. Reuni toda a coragem dos tímidos e subi ao palco. Expliquei tudo do DSR. E, daí para frente, fui desvelando o espaço que estava sendo aberto diante de mim. Diferente do que eu já vivera na montadora, aquele CEO criava um ambiente de empoderamento e protagonismo, acessível também para mim. Gostei disso e fui me soltando, deslanchando e me desenvolvendo como líder. Um tempo depois, me tornei diretor global de RH em uma divisão nos Estados Unidos e morei no exterior por quase quatro anos. Ficando na montadora, não teria vivido nada disso. Mas, se no início eu estava com medo de ter que viajar demais, quando assumi essa posição, praticamente ganhei asas postiças. Beijin, Moscou, Nova York, Londres... e eu lá, feliz da vida, me sentindo parte do "*jet-set* corporativo". Ou seja, estava no extremo oposto da timidez, o que também tem suas armadilhas e incertezas. Mas essa parte da história vai ficar para o Capítulo 8, quando nossa conversa vai ser sobre os riscos de derrapar na carreira por volta dos 35 anos.

A moral dessa história é a seguinte: você define o seu processo decisório, reflete pragmaticamente, faz a sua melhor escolha e segue em frente confiante de que vai chegar a resultados extraordinários. Os medos, angústias e ansiedades pelo meio do caminho são naturais. São os ciclopes e os lestrigões da jornada até Ítaca. Por causa deles você vai ter vontade de voltar atrás, retroceder, refazer a escolha. Só que se você não confiar no próprio processo de tomada de decisão, vai acabar confundindo seus medos com as reais necessidades de ajuste. Nessa minha história aconteceu exatamente isso. Eu estava com a síndrome de medo do novo e sem perceber disfarçava esse sentimento. Minha alegação era que um bom pai de crianças pequenas não podia viajar demais por causa do trabalho. Por isso, queria voltar para o emprego anterior. Isso não é necessidade de ajuste, nem adequação ao novo contexto. É medo do novo, pura e simplesmente. No entanto, para conseguir identificar a diferença entre os dois, você precisa ter confiança em você mesmo e no processo que escolheu. Eu falo, falo e acabo caindo no conceito do meio-termo aristotélico: entre o medo covarde e a decisão precipitada, está a virtude.

COMO ESCAPAR DAS TENTAÇÕES DIÁRIAS

Essa questão de seguir em frente com confiança tem outro detalhe importante. Você encontra o seu propósito – pelo menos, aquele que mais satisfaz você nesse momento –, faz sua escolha e se dedica aplicadamente no desenvolvimento da própria maestria. Ou seja, aquele conjunto de competências capazes de levar você aos seus objetivos. Enquanto está trabalhando nisso, é a confiança que mantém firme e estimula a sua motivação. Como está no meio do processo, ainda não tem conquistas concretas que lhe deem o feedback de que está na direção certa. Exemplo: sua escolha é ser um dos melhores neurocientistas e estagiar com o Miguel Nicolelis.[6] O primeiro passo é passar no vestibular de uma excelente faculdade de medicina, correto? Para isso, você vai ter de ralar muito, estudando, lapidando a maestria nas disciplinas do ensino médio. No meio de uma tarde de verão, você está lá com seu propósito, sua escolha e sua maestria e um amigo "whatsapeia": "Vamos pra praia?". Se você não tiver absoluta confiança no que e por que está fazendo, sua motivação não vai resistir. Você perde o foco na hora e responde: "Me pega aqui em 10 minutos". De tentação em tentação, aquela meta de fazer estágio com o doutor Nicolelis vai parar

---

6   O médico brasileiro Miguel Nicolelis, considerado um dos vinte maiores cientistas do mundo pela revista *Scientific American*, lidera um grupo de pesquisadores com o objetivo de integrar o cérebro humano a máquinas (neurópteses). Por exemplo, braços robóticos controlados por meio de sinais cerebrais

no arquivo do departamento dos sonhos impossíveis. Naquela história que contei agora há pouco, também não confiei na minha escolha. Tive é a sorte de não ter tido a coragem de tentar voltar atrás. Cheguei a planejar a volta, mas não agi. "O acaso vai me proteger, enquanto eu andar distraído". Bom, é que, às vezes, as incertezas também jogam a favor da gente.

Outro dia, depois de uma das minhas palestras, uma garota veio conversar e me bombardeou com a pergunta: "Como eu faço para ser uma pessoa culta?". Felizmente, dei tempo para o meu Sistema 2^7 entrar em ação. Foi só por isso que eu consegui perceber que, por trás dessa pergunta que parecia "meio estranha", havia um propósito essencial para ela. Então, usando a ideia de motivação para a maestria, consegui construir de improviso a seguinte resposta: "Tomara que você goste de ler... porque, para ser culta, você vai ter que ler muito. Mas esse 'muito' não é impossível. Vamos fazer uma conta juntos. Se você ler cinco páginas por dia (só cinco!), a cada 40 dias vai ter lido um livro de 200 páginas. E, ao final de um ano, terá lido nove livros. Vamos arredondar para 10 porque tem muito livro bom com menos de 200 páginas. Ler 10 livros por ano é bem acima da média no Brasil - e até em alguns países da Europa. Ser culta é o propósito da sua maestria. Então, acho que vai acabar se motivando e lendo mais de cinco páginas por dia. Vamos dizer, 10. Aí, vai conseguir ler, 20 livros por ano. É assim: o objetivo está lá na frente, mas a gente começa a fazer agora e vai fazendo um pouco todo dia. Divertindo-se com os livros, você nem vai perceber que o tempo passou... aposto que você vai ser culta". Ela me respondeu com um sorriso e foi embora. Não sei se agradei; sei que fui autêntico.

Não há propósito na vida que não precise de dedicação, foco, esforço e disciplina. Pode ser do seu jeito, mas precisa ter. Quando fiz vestibular, tive um colega que parecia folgado demais. Toda tarde, ele dormia ou ia jogar futebol de salão ou pegava um cinema. Quando saíam os resultados dos exames simulados, sempre tinha ido superbem. Ele era meio quieto, sentava no fundão, mas não fazia muita zoeira. Depois da aula, me convidava

---

7 Veja o texto "Razão e emoção em quatro parágrafos" neste mesmo capítulo.

para o futebol ou o cinema, mas eu não podia: tinha que voltar para casa para estudar. Um dia não aguentei e perguntei: "Como é que você vai bem nos simulados, se não estuda nunca?". Ele riu: "Só por que você não me vê estudando, não quer dizer que eu não estudo". Toda tarde ele se divertia ou voltava para casa para dormir um pouco, porque acordava às 3 da manhã para estudar até as 7. Como morava perto do cursinho, tomava banho e ia para a aula. Eu estudava à tarde as mesmas quatro horas por dia que ele. Nós dois passamos no vestibular: eu em administração na FGV/SP e ele em medicina na USP. Uns anos depois, encontrei com ele e fiquei sabendo que a mania de ficar acordado de madrugada ajudou muito nos plantões nos hospitais. O autoconhecimento ajuda você a descobrir o seu jeito de ser e de fazer as coisas com mais eficiência.

QUAL FACULDADE ESCOLHER E POR QUÊ?

Vamos continuar na área médica, mas agora para fazer outra reflexão pragmática: qual faculdade escolher? Não adianta passar em qualquer uma. Você tem de escolher ANTES, de acordo com o seu objetivo. Para ser um dos melhores neurocientistas, você tem que se dedicar e aprender muito. Fazer uma das melhores faculdades ajuda bastante. Conheço empresas e recrutadores que consideram a qualidade da faculdade apenas uma etiqueta. Uma espécie de grife, que não garante o desempenho do futuro profissional. OK, pode ser. Mas eu acrescento um critério: quem entra em uma das melhores é porque estudou mais e, com certeza, vai estar aberto para aprender muito mais com os melhores colegas e os melhores professores. Olha, você pode achar que nada disso é justo, dizer que a vida é ingrata e que o mercado exige demais. OK, você pode me dizer tudo isso e posso ouvir, porém a chiadeira não vai mudar nada no seu contexto externo, que é o seguinte: para obter resultados EXTRAordinários, não adianta fazer escolhas ordinárias. Então, para escolher a faculdade onde você quer estudar, sugiro procurar na internet as várias avaliações e rankings que regularmente são publicados sobre os melhores cursos no Brasil. Selecione os dez melhores da sua área e escolha aquele que: (1) fica na sua cidade ou (2) fica no seu estado. Pragmatismo é fazer o melhor, facilitando o processo. Para que ir morar longe de casa? Mas, se for justamente o que você anda querendo, a sua escolha vai ser a seguinte: entre as dez melhores faculdades de medicina do país, qual delas fica mais longe da sua casa? Bingo: também vai achar a resposta no ranking.

Ainda nessa reflexão em torno da escolha do curso, pode surgir outra dúvida. Melhor uma faculdade pública ou uma particular? Para fazer essa escolha, a sugestão é combinar vários critérios: (1) sua família tem condições financeiras de bancar a mensalidade de uma faculdade particular? ou (2) você teria condições de trabalhar para pagar a mensalidade durante o curso? São as duas primeiras perguntas. Na época do vestibular, tive um amigo que queria ser músico. Mas a situação financeira da família dele não permitia pagar nenhum tipo de curso particular. Nem conservatório, nem faculdade, nem nada... O que ele já sabia tocar – e tocava piano bem para caramba! – tinha aprendido sozinho e com a ajuda de quem sabia mais. Era praticamente autodidata. O propósito da vida dele era ser músico profissional; essa escolha ele fez fácil. O que estava difícil, parecendo até impossível, era avançar na lapidação da própria maestria. Ele deu um jeito: passou em música na USP e se sustentou durante toda a faculdade trabalhando como carteiro! Ou seja, aceitou passar um tempo vivendo um Plano B para atingir o objetivo extraordinário do seu Plano A. Hoje em dia, ele é um músico que se (auto)considera bem-sucedido e é isso que vale. Em gravações de estúdio, costuma ser um dos arranjadores e pianistas mais requisitados. Deu certo somar, ou melhor, "multiplicar" coração e razão (sei que ele ainda diria: "Não esqueça que eu já ralei muito!").

Voltando à decisão entre faculdade pública e privada, mesmo que sua família possa lhe oferecer o privilégio de pagar pela sua formação, antes de realizar sua escolha, você poderia se fazer ainda outras perguntas. Primeiro, cruze o ranking das dez melhores faculdades com o ranking das dez mensalidades mais altas da sua área. Algumas das faculdades mais caras estão também entre as melhores? Em caso positivo, ótimo! Se você entrar em uma dessas, estará pagando por uma formação acadêmica de alto nível. Vale a pena.

Vamos usar de novo o exemplo da faculdade de medicina. Você escolheu fazer um curso particular muito bom, cuja mensalidade em média está em torno de R$ 7.500.[8] Que tal umas contas rápidas? Sua família vai pagar R$ 90 mil por ano só para você estudar (fora outros custos) e a faculdade leva, no mínimo, seis anos. No final, serão R$ 540 mil, sem computar atualização monetária ou o que esse dinheiro poderia render aplicado ao longo do período. Em vez de investir essa grana por mês para pagar o curso, o que sua família poderia lhe proporcionar no final da graduação? Uma especialização no exterior? Um consultório montado? Um apartamento? Experimente entrar na internet em algum site[9] que simule o seguinte cálculo (Tabela 5.1): se só metade do valor médio da mensalidade for aplicado todo mês na poupança vai dar quase R$ 350 mil até o final da faculdade. Então, a escolha é sua: quer fazer medicina em uma das melhores faculdades de uma universidade pública ou em uma privada?

Tabela 5.1 Quanto pode render a metade da mensalidade de uma faculdade particular de medicina

Quanto você tem hoje? R$	0	Quanto vai poupar? R$	3750
Taxa de Juros Anual?	6.17%	Com qual frequência?	Mensal
Por quantos anos?	6		
CLIQUE AQUI PARA CALCULAR			
Total poupado: R$ 270.000,00	Juros ganhos: R$ 54.054,46	Quando você terá: R$ 324.054,46	

Fonte: www.simulardordepoupanca.com.

---

8 Na internet você também encontra fácil as informações sobre o valor das mensalidades das faculdades. Para o curso de medicina, por exemplo, o ranking está disponível em: <http://www.escolasmedicas.com.br/mensal.php>. Acesso em: 11 out. 2016.

9 A internet tem sempre ótimas ferramentas para ajudar a fazer suas reflexões pragmáticas. O cálculo que usei de exemplo é do site Clube dos Poupadores. Disponível em: <http://www.simuladorpoupanca.com/>. Acesso em: 11 out. 2016.

É isso que eu chamo de fazer reflexões pragmáticas: além de se autoconhecer para encontrar seu propósito, antes de fazer uma escolha, a gente deve considerar também todas as questões práticas envolvidas em cada decisão. Kahneman talvez dissesse que isso é fazer o Sistema 1 trabalhar junto com o Sistema 2. Ou seja, quando você soma no processo decisório aquilo que sua essência diz (o propósito) com uma avaliação lógica (o contexto), está seguindo na direção das melhores escolhas, aquelas que apesar dos riscos e incertezas, têm maior potencial de fazer você alcançar seus resultados extraordinários. Este é o meu jeito de navegar até Ítaca, tomara que também seja útil para você. Boa sorte na jornada.

RAZÃO E EMOÇÃO EM QUATRO PARÁGRAFOS

Por enquanto, o que você precisa saber sobre os limites da racionalidade humana é o seguinte: lá no século XVIII, tendo como precursor o pensamento de René Descartes e Isaac Newton, os iluministas – entre eles, Adam Smith e Jean-Jacques Rousseau – propuseram o império da razão (a luz), que deixou definitivamente no passado o Absolutismo e o que ainda restasse das trevas medievais na Europa. Por sua vez, essa foi uma das sementes do positivismo de Auguste Comte e John Stuart Mill, que, a partir do século XIX, estabeleceu o predomínio do conhecimento científico: ou a observação de um evento pode ser comprovada cientificamente ou é superstição. Assim, sob a forte influência dessas ideias, entramos no século XX "cheios de fé" no poder da racionalidade humana: o homem seria capaz de pensar, discernir e agir de acordo unicamente com sua razão, controlando a influência da subjetividade[10] e progredindo continuamente.

Só lá pela metade do século XX, depois do fim da Segunda Guerra Mundial (1939-1945) é que a capacidade humana de ser absolutamente racional e onisciente começou a ser questionada. Talvez os seis anos de guerra tenham evidenciado nossas ações irracionais. Um dos primeiros a lançar a dúvida foi Herbert

---

[10] Lembre-se de que no Capítulo 4 há um texto curto sobre o que é subjetividade e objetividade.

Simon,[11] que em 1978 acabou ganhando o Nobel de Economia. Segundo ele, apesar de o homem ser capaz de agir com intenção, nossa racionalidade é limitada. Com base nesse conceito, mais recentemente, Daniel Kahneman[12] mostrou que nosso processo cognitivo está sujeito a falhas sistêmicas. Ele afirma que a gente tem um estoque limitado de atenção; não dá para prestar atenção e decidir fazendo cinco coisas ao mesmo tempo. Para quem já nasceu conectado à internet e adora Pokémon Go, essa é a má notícia! Não adianta dizer que está atento, porque não está.[13]

Além disso, segundo Kahneman, funcionamos acionados por dois sistemas diferentes. O Sistema 1 é rápido, automático e cuida daquilo que a gente pode fazer sem se esforçar ou prestar atenção. O Sistema 2 é lento, precisa prestar atenção e controla as ações que saem da rotina e/ou são mais complexas. Em condições conhecidas e habituais, os dois trabalham muito bem juntos. O Sistema 1 fica o tempo todo ligado, enquanto o Sistema 2 fica lá, esperando ser chamado para trabalhar. Só que o Sistema 1 não é bom de lógica e, além disso, nem sempre aciona o Sistema 2 para prestar atenção no que está fazendo, decidindo, escolhendo, agindo... É aí que as nossas impressões, intuições, intenções e sentimentos podem se transformar "sem querer" em comportamentos e decisões (equivocados), causados pelo que Kahneman chama de viés cognitivo. Outros autores, entre eles Daniel Goleman,[14] consideram que esses são nossos comportamentos movidos unicamente pelas emoções. Por exemplo: numa conversa, alguém faz um comentário que atinge direto o ponto mais sensível do seu coração. Sem pensar, você

---

11 Herbert Simon publicou seu livro *Administrative Behavior* em 1947 e suas ideias estão bem resumidas no artigo "Uma análise da contribuição de Herbert Simon para as teorias organizacionais" de Alsones Balestrin. Revista Eletrônica de Administração (REAd), v. 08, 2002, Escola de Administração – Universidade Federal do Rio Grande do Sul – UFRGS. Disponível em: <http://seer.ufrgs.br/index.php/read/article/view/44111>. Acesso em: 06 out. 2016.

12 Daniel Kahneman começou a desenvolver sua teoria com Amos Tversky, que faleceu antes da premiação do Nobel de Economia em 2002. Depois, Kahneman lançou o best-seller *Rápido e devagar:* duas formas de pensar. Rio de Janeiro: Objetiva, 2012.

13 Se você não acredita na nossa limitada capacidade de prestar atenção em várias atividades simultâneas, vale ver na internet o experimento *Gorila invisível*, criado por Daniel J. Simons e Christopher Chabris em 1999. Disponível em: <http://www.theinvisiblegorilla.com/videos.html>. Acesso em: 06 out. 2016.

14 O psicólogo e consultor empresarial Daniel Goleman é autor do best-seller *Inteligência Emocional*: A teoria revolucionária que redefine o que é ser inteligente. São Paulo: Objetiva, 1996.

começa a chorar ou responde com um palavrão – só para se arrepender dali a um minuto, quando o Sistema 2 for chamado para entrar em cena.

Ao aplicar suas ideias no processo decisório das empresas, Kahneman levou o Nobel de Economia em 2002. Vamos combinar: o cara é psicólogo e ganha o Nobel de Economia - a gente tem que se abrir para as ideias dele! Portanto, na hora de fazer uma escolha, presta atenção! Não deixa seu Sistema 1 decidir nada sozinho. Nem só com o coração e nem só com a razão. Aciona o Sistema 2 e faz ANTES aquilo que eu chamo de "reflexão pragmática".[15] Assim, você aumenta a probabilidade de fazer as melhores escolhas e minimiza os riscos – as incertezas continuarão lá. Relaxe e siga em frente, confiante nos resultados.

FICA A DICA:
COMO CONTAR QUEM VOCÊ É

Depois que entra na faculdade, a gente começa a circular em outro mundo: o relacionamento com as pessoas em volta tende a ficar mais sério e respeitoso. Na faculdade, por exemplo, os professores geralmente não têm mais aquele jeito de "tio" e "tia" e nem se comportam como se fossem nossos velhos amigos, como os do ensino médio e, principalmente, os do cursinho. Tirando pai e mãe, para quem a gente sempre vai ser criança (ainda bem!), a tendência é que os outros tenham a expectativa de que você já sabe o que quer e para aonde vai na vida. Se entrou na faculdade de direito, tem objetivos coerentes com essa escolha. Se escolheu fazer administração, deve pretender ser empresário ou ter carreira executiva... Agora eu não estou falando do que cada um de nós é e sente por dentro. Todo mundo tem suas inseguranças e vulnerabilidades e, para mim, o autoconhecimento ajuda a assumi-las e, às vezes, superá-las.

Só que cada um de nós tem também uma dimensão "por fora", aquela que a gente expõe na realidade exterior. É a imagem que transmitimos que ajuda os outros a formarem uma percepção sobre a gente – positiva ou negativa. Por exemplo:

---

15 Releia também a definição e as dicas sobre reflexão pragmática no Capítulo 4.

no ambiente acadêmico ou já como estagiário ou *trainee*, é bem comum que o professor ou o chefe peça para você se apresentar à equipe. Você já sabe como contar para os outros quem você é, o que já sabe fazer e o que pretende alcançar em curto e médio prazos? Se não tem isso claro na cabeça, quando alguém pedir que se apresente, o que vai acontecer? Você é bom de improviso ou vai se sentir inseguro e ficar sem saber muito bem o que dizer?

Na dúvida, fica a dica... Faça um único slide no PowerPoint (por favor, não uma apresentação contando sua vida desde a maternidade) só para você. Comece pela definição do seu nome... Quero dizer o seguinte: eu me chamo Sergio Luiz de Toledo Piza, mas profissionalmente todo mundo me conhece como Sergio Piza (é curto, sonoro e fácil de memorizar). Se, como eu, você também tiver muitos nomes, escolha como quer ficar conhecido. E, quando for se apresentar para o grupo, use sempre o mesmo. Abaixo do seu nome, escreva (bem curto), por exemplo, os seguintes *bullet points*. Tudo tem que caber em um único slide com fonte Arial 20:

NOME ESCOLHIDO (O MAIS CURTO E SONORO)

› Eu sou... (estudante do 3º ano de administração de empresas na FGV/SP)
› Eu estou... (interessado em me especializar na área financeira)
› Meu objetivo no curto prazo é... (tirar o melhor proveito desse estágio aqui no banco)
› Então... (podem contar com minha disposição para aprender tudo que vocês têm para me ensinar. Me chamem, por favor, para participar do máximo de atividades, ok?)
› Quando eu me formar... (espero já ter algumas boas histórias para contar no currículo)

Basta isso e um sorriso. Mantenha esse slide sempre atualizado. Essas informações vão ficar guardadas na sua memória. Depois, vai ficando mais fácil se apresentar em público.

TESTE FINAL DE APOIO DIDÁTICO

REFLITA E RESPONDA:
1. Em vez de ser escolhido, a gente deveria ser proativo e fazer as próprias escolhas. Faça uma autoavaliação: você prefere escolher ou ser escolhido?
2. Mesmo quando alguém decide não fazer nenhuma escolha, já está escolhendo esse jeito de viver (dentro da caixa). Essa escolha é mais segura e livre de riscos? Explique a diferença entre risco e incerteza.
3. Para fazer suas melhores escolhas, é preciso ter a coragem de buscar o que agora ainda é impossível. No universo das escolhas, descreva os limites do possível e do impossível. Onde fica a inovação?
4. Nossas melhores escolhas são feitas a partir da descoberta do nosso propósito (Sistema 1) somada à avaliação lógica do contexto (Sistema 2). Descreva o funcionamento do Sistema 1 e do Sistema 2, de acordo com Daniel Kahneman, ganhador do Nobel de Economia em 2002.
5. Você deve encontrar o seu próprio jeito de fazer as melhores escolhas para potencializar as chances de obter resultados extraordinários. Quais são as etapas do processo decisório sugeridas pelo autor?

6

AS PRIMEIRAS MELHORES ESCOLHAS

> O mundo era estreito para Alexandre; um desvão de telhado é o infinito para as andorinhas.
>
> Machado de Assis[1]

Assim que a gente entra na universidade pode dar um branco: a pressão do vestibular acabou, dá um alívio tão bom, que, às vezes, pode até fazer você se sentir meio perdido. É um novo contexto de vida e a adaptação pode demorar um pouco. Vi casos em que a pessoa começa o primeiro semestre da faculdade já querendo dar férias eternas para a cabeça e o corpo. Não quer fazer mais nada. De tão cansada, perde o propósito... E tem gente que, ao contrário, já quer sair correndo atrás da vida, assumindo um monte de novas responsabilidades e querendo começar a trabalhar no dia seguinte. Tudo ao mesmo tempo e o mais depressa possível. Bom, se você tiver a vantagem de não precisar se bancar na faculdade, dê um tempo, por favor. Nessa hora, ainda no pós-ressaca do vestibular, veja se consegue aproveitar pelo menos o primeiro ano para estudar, só estudar... aquelas matérias basiconas (que podem até parecer chatas!) costumam ser as fundamentais para facilitar a

---

[1] Machado de Assis (1839-1908) – jornalista e escritor carioca, autor, entre outras obras, do livro *Memórias Póstumas de Brás Cubas* (1881), de onde foi tirada a frase em destaque (capítulo LXX, p. 101, da edição da Abril Cultural, 1982). Se quiser saber mais sobre o autor, leia aqui: <http://www.machadodeassis.org.br/>. Acesso em: 29 out. 2016.

compreensão das disciplinas mais complexas dos próximos semestres. Se você estudar legal agora, forma uma boa base e vai ficar mais fácil lá para frente, quando, por exemplo, já estiver fazendo estágios. Então, agora, se puder, vá com calma que a vida vem encontrar você naturalmente...

Isso quer dizer o seguinte: a partir do momento em que entra na faculdade, você começa uma nova sucessão de ciclos de vida. Só que agora, além dos estudos, eles incluem uma perspectiva mais próxima da sua carreira. E junto vem uma série de novas escolhas, novos riscos e novas incertezas.[2] Como você já escolheu <u>antes</u> entrar em uma faculdade, não desperdice <u>agora</u> as novas oportunidades. Estude para valer, aprenda ao máximo com os professores e também com os colegas. Procure novos interesses. Faça novos amigos (sem esquecer os antigos). Experimente. Conviva com pessoas que não gostem exatamente das mesmas coisas que você. Olhe para você mesmo como se fosse uma esponja, pronta para absorver tudo que estiver em volta. Do que não gostar, você desapega.

É hora de se preparar muito bem para as próximas escolhas que a vida vai trazer. Tem de estar com a cabeça boa para refletir pragmaticamente sobre: qual é a melhor hora para procurar o primeiro emprego? Até quando você vai querer morar com os seus pais? Vai morar sozinho? Vai morar com os amigos? Vai namorar sério? Vai trabalhar? Em que perfil de empresa? Que tipo de chefe mais combina com você? Com os primeiros salários, melhor investir ou comprar um carro? Vai casar? Vai ter filhos? Vai voltar a estudar? Vai mudar de emprego? É muito cedo ou já passou da hora? Sempre que penso nessa fase da vida, me vem à cabeça aquela música "Should I stay or should I go?", do The Clash.[3] É das antigas, mas foi tão regravada que você deve conhecer. Se não conhece, ouça e preste atenção a letra: todo mundo faz escolhas – algumas mais fáceis, outras mais difíceis. Nas últimas três décadas, o mundo mudou muito, mas até que não ficou tão diferente assim...

---

2 Sobre a diferença entre o que é risco e o que é incerteza basta reler o Capítulo 5.

3 "Should I stay or should I go" foi gravada pela banda inglesa The Clash em 1982 e fez tanto sucesso que é regravada até hoje. Uma dessas regravações mais recentes é a do Capital Inicial. A versão original com o The Clash está disponível em: <https://www.youtube.com/watch?v=BN-1WwnEDWAM>. Acesso em: 01 nov. 2016.

VOCÊ TEM AUTONOMIA, MAS NÃO É INDEPENDENTE

Pelo que entendi, enquanto lia o capítulo anterior, você já decidiu que não quer ser da turma que se "deixa levar pela vida" e depois reclama das escolhas que não fez. Portanto, sua única opção é fazer suas próprias melhores escolhas.[4] Não tem escapatória. O lado bom de tudo isso: não existe escolha errada! Se você tomar a decisão conscientemente em sintonia com a sua essência (emoção + razão), mesmo quando o resultado não for EXTRAordinário, vai ter uma boa história para contar... Isto é, no mínimo, ganhou um aprendizado. E isso não é pouco. Mas, se fizer escolhas sem reflexão e sem avaliar as consequências práticas, vão aumentar os riscos de futuros arrependimentos. Para mim, a definição de arrependimento é bem simples e direta: arrependimento é aquilo que paralisa a gente diante da vida. Em vez de entrar de novo em ação, a pessoa fica lá, só na lamentação. Para tentar escapar dessa armadilha, é bom ter sempre em mente COMO fazer as melhores escolhas.

Vamos lá! Primeiro, repassar algumas ideias e depois, acrescentar mais alguns fatores que ainda precisam ser considerados nesse processo: o principal deles é a nossa interdependência e, justamente por causa disso, você não deve perder o foco da visão sistêmica e da psicodinâmica[5] das relações. É complexo, mas não é difícil entender como funciona. Além de ser POR DENTRO, cada um de nós também é POR FORA, ou seja, está em relação com todos os outros elementos da realidade exterior. Como ninguém vive sozinho, ninguém faz escolhas isoladamente. Ninguém,

---

4 Sobre tudo isso, a gente já conversou no Capítulo 4.
5 Visão sistêmica é a capacidade de perceber a interdependência entre as partes para o bom funcionamento do todo. Nesse caso específico, cada pessoa é a parte, que interdepende da outra, para o melhor funcionamento do grupo. Já a psicodinâmica é a visão daquele conjunto de forças visíveis, invisíveis, objetivas, subjetivas, psíquicas, sociais, políticas e econômicas que interfere no comportamento do indivíduo e na interação entre as pessoas do grupo. Essas duas ideias estão bem detalhadas e aplicadas no Capítulo 1.

portanto, é <u>independente</u>. Como adultos,[6] o máximo que conseguimos é exercer nossa autonomia e fazer as próprias melhores escolhas. Essa é a expressão da nossa identidade no mundo exterior. Por ser reflexo direto da essência individual, a identidade é singular, exclusiva e intransferível: sim, sua identidade é sua, só sua e de mais ninguém. Só que a maior parte da nossa identidade é relacional, isto é, está o tempo todo interagindo com o ambiente externo, o que a torna plural nas suas manifestações e mutável com o tempo e os aprendizados. Numa frase: nossa identidade tem uma essência singular e manifestações plurais.

Como a identidade é a parte que os outros veem de nós, então estamos sempre sendo avaliados pelo que somos POR FORA. O ponto sensível aqui é que essa avaliação costuma ser baseada em primeiras impressões ou em percepções preconcebidas. Em geral, quando formamos uma ideia sobre os outros, estamos sendo influenciados por nossos próprios vieses cognitivos.[7] Todos nós somos assim. Se parar só um minuto para pensar, vai lembrar alguém que você avaliou POR FORA sem considerar as informações reais que tinha a respeito daquela pessoa. No mundo corporativo, não é diferente. Os outros ao seu redor "leem" os sinais enviados por sua identidade e vão formando a sua "reputação profissional". Cada escolha que você faz, das triviais às essenciais, ajuda a construir sua imagem diante dos outros. As escolhas que podem ajudar você a construir sua boa reputação vão ser o assunto do próximo capítulo. Neste, vamos conversar sobre as escolhas trazidas pelo novo contexto de vida, depois que a gente entra na faculdade. O processo completo está resumido na Figura 6.1:

---

6 Para mim, existe diferença entre ser "mais velho" e "ser adulto": minha definição dessa ideia está no Capítulo 4.
7 Os papéis do Sistema 1 e do Sistema 2 no nosso processo cognitivo, de acordo com Daniel Kahneman, já foram discutidos no Capítulo 5.

Figura 6.1 O processo para fazer as melhores escolhas e se adaptar aos novos contextos de vida

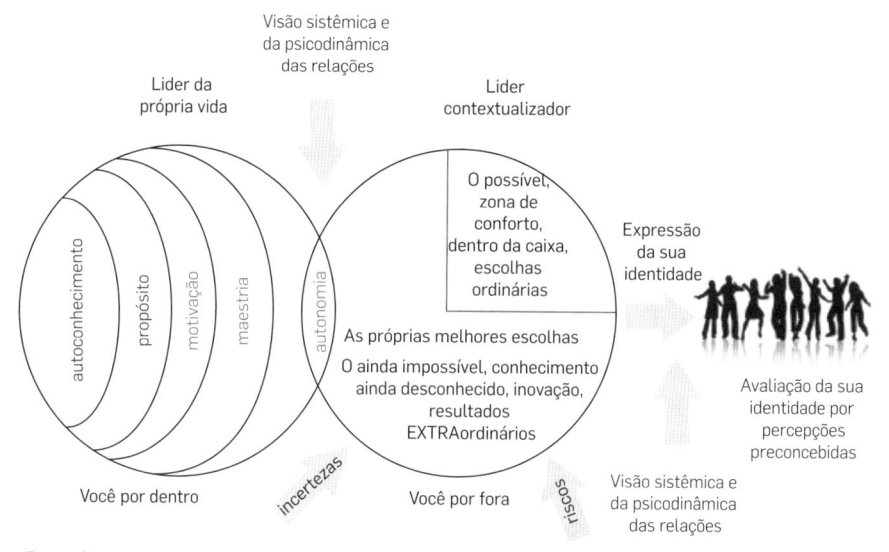

[Diagrama: Líder da própria vida (Você por dentro) com camadas: autoconhecimento, propósito, motivação, maestria, autonomia. Visão sistêmica e da psicodinâmica das relações. Líder contextualizador (Você por fora): O possível, zona de conforto, dentro da caixa, escolhas ordinárias; As próprias melhores escolhas — O ainda impossível, conhecimento ainda desconhecido, inovação, resultados EXTRAordinários. Incertezas, riscos. Expressão da sua identidade. Avaliação da sua identidade por percepções preconcebidas. Visão sistêmica e da psicodinâmica das relações.]

Fonte: O autor.

A partir dos exercícios de autoconhecimento, você se aproxima da sua essência, sempre buscando o equilíbrio entre razão e emoção. Com a autonomia conquistada, assume o papel de líder da própria vida e faz as reflexões pragmáticas para identificar suas melhores escolhas. Quando você usa sua autonomia interna (COMO escolher) para fazer escolhas na realidade exterior (O QUE escolher), está expressando o que você é no mundo, ou seja, a sua identidade. É ela que vai ser avaliada pelos outros e o conjunto dessas avaliações é o que forma a sua reputação. Só que, felizmente, essa identidade não é uma camisa de força, nem uma couraça rígida. Você tem a capacidade de se adaptar aos diferentes contextos, de acordo com: (1) cada diferente momento da vida, as novas demandas e as novas escolhas; e (2) cada diferente ambiente em que você convive. É com base na visão sistêmica e da psicodinâmica das relações que você se torna mais flexível e mais capaz de adaptar sua identidade aos diferentes contextos e diferentes ambientes. Sim, a partir da mesma essência, cada um de nós tem várias identidades; e, sim, podemos mudar, evoluir sem ficar presos à nossa primeira identidade. Aliás, vale exercitar identidades, mas isso também é assunto do Capítulo 8.

Antes, porém, preciso abrir aqui um parêntese para afirmar com ênfase e por experiência própria: essa adaptabilidade das múltiplas identidades não se opõe em absolutamente nada à outra característica dos melhores líderes (nem que seja líder de si mesmo), que é a capacidade de ser autêntico. O líder cria ao seu redor um ambiente de confiança com relações abertas e francas, porque identifica a mudança de contexto (da vida ou do negócio), toma consciência da mudança e consegue se adaptar melhor. Além disso, com sua autenticidade, transmite a ideia do novo contexto ao grupo e favorece a adaptação dos demais. O líder contextualizador é o melhor, não porque seja o mais forte, mas porque é o mais adaptável ao novo contexto. Ou às novas condições de vida, talvez dissesse Darwin.[8]

E como a vida é dinâmica e não para de mudar, vamos aplicar esse processo em questões bem práticas dessa sua nova fase para que consiga usar bem a sua adaptabilidade. O objetivo é contar histórias e compartilhar aprendizados para tentar ajudar você a refletir pragmaticamente sobre:

QUAL É A MELHOR EMPRESA PARA VOCÊ TRABALHAR?

Lá no Capítulo 2, falei um pouco sobre como escolhi o meu primeiro emprego. Agora vou dar mais detalhes dessa história, mas com a forte recomendação de que você não siga esse meu exemplo, OK? Vou contar, para você fazer o aprendizado reverso: primeiro, aprende como não se faz; depois, aprende como fazer melhor.

---

8 Relembre na página 36 do Capítulo 2 a definição do próprio Charles Darwin para o processo de seleção natural.

Havia acabado de me formar em administração e, apesar de já trabalhar em pesquisa acadêmica, achei que estava na hora de experimentar o mercado corporativo. Entre as oportunidades penduradas nas paredes da faculdade, decidi participar do processo de seleção em uma multinacional que tinha uma vaga na área de recursos humanos. E fui. Não me preparei, não levantei informações sobre a empresa. Não escrevi um currículo voltado para a área de RH. Não me informei sobre o que as pessoas faziam na área de recursos humanos. Simplesmente fui com a cara, a coragem e a maior ingenuidade...

Modéstia à parte, tinha um bom currículo acadêmico, mas aquilo por si só não me qualificava para uma posição – mesmo júnior – em RH. Mas acontece que, às vezes, a gente dá sorte. Quem me entrevistou naquele dia foi Rubem Lisboa, um profissional experiente, que soube ver em mim um potencial para a área, que nem eu sabia que tinha. Ou seja, naquela época, meu conhecimento sobre mim e sobre carreiras tendia a zero. Muitos anos mais tarde, consegui agradecer pessoalmente ao Rubem por ele ter me dado aquela primeira oportunidade profissional, que acabou me abrindo as portas para o universo da gestão de pessoas.

Muitas vezes repassei aquela entrevista inicial para tentar entender o que Rubem viu em mim. Hoje, acho que ele percebeu aquela minha "curiosidade congênita" para saber o que se passa na cabeça das pessoas. E agora também considero essa uma entre as boas características atitudinais para se trabalhar em GP. Tirando isso, cá entre nós, ao procurar meu primeiro emprego, fiz tudo errado. Eu me deixei ser escolhido. Não fiz uma escolha consciente e em sintonia com a minha essência. Aumentei muito o risco e minha chance de insucesso. Felizmente, eu dei sorte. Mas, mesmo assim, não recomendo essa atitude para ninguém – nem para os meus filhos e nem para você.

Bom, agora que você já entendeu como não agir, vamos conversar sobre como escolher a organização em que você quer ser contratado. Antes de participar de algum processo seletivo, estude as empresas da sua área de interesse. Todos os anos são publicados os rankings das mais admiradas, mais lucrativas, mais produtivas, mais sustentáveis, os melhores lugares para se trabalhar... Existem também na internet alguns sites, como o Love Mondays, em que os próprios funcionários espontaneamente classificam a empresa em que trabalham. Fique atento a esses detalhes, mas não só a isso.

Quando identificar as três empresas que são top para você, procure entrar em contato e, se possível conhecer pessoalmente, algumas pessoas que trabalham ali. Seja curioso e até chato. Vá, por exemplo, até a recepção da sede da empresa e fique lá dando uma olhada. Como as pessoas se vestem? A maioria passa de cara fechada ou sorrindo? Como as recepcionistas falam com as pessoas? São gentis? Falam com respeito com todo mundo? Ah, você notou que as pessoas de tal empresa se vestem mais formais e você nunca usou uma gravata – aliás, tem horror da ideia. Gostaria de ir de chinelos? Se, para você, colocar uma gravata no pescoço é um ultraje, recomendo mais reflexão. Mas esses não são critérios sólidos para identificar as melhores empresas para você trabalhar. Depois, já participando de algum processo seletivo, procure fazer um estudo ainda mais profundo da cultura organizacional. A proposta de valor apresentada aos candidatos está em sintonia com sua essência? A *Employee Value Proposition* (EVP) é expressa claramente e praticada no dia a dia de trabalho? Agora sim, sua reflexão pragmática está buscando um critério mais consistente para fundamentar sua melhor escolha. Mas isso ainda não basta.

QUAL É O MAIOR VALOR DO SEU PRIMEIRO SALÁRIO?

Esse outro critério vai valer ao longo de toda sua carreira, mas é especialmente importante quando a gente está buscando o primeiro emprego: o valor do salário não deve ser analisado apenas nominalmente. Ou seja, você vai ocupar a posição de analista superjúnior na área X de tal empresa e, para isso, vai receber R$ XYZ por mês, mais tíquetes disso e daquilo. É claro que seu salário deve equivaler às atividades e responsabilidades assumidas. Todo mundo tem contas para pagar, todo mundo tem necessidades e desejos para satisfazer com o resultado do próprio trabalho. Nada mais certo e nada mais justo que esse salário seja digno. Mas... esse não é o único valor do salário do seu primeiro emprego (mesmo que seja como aprendiz, estagiário ou *trainee*).

Antes de avançar nessa questão, vamos primeiro ampliar o leque das suas escolhas. Tem gente que me pergunta, por exemplo, se logo depois de se graduar já deve abrir seu próprio negócio ou, então, ir trabalhar na empresa da família. Com sua autonomia, a escolha é toda sua. Mas essa questão vale uma boa reflexão pragmática. Na empresa da família, por mais que as pessoas mais velhas neguem, você, além de estar começando a carreira, vai enfrentar as expectativas dos outros – além de pai e mãe, às vezes também irmãos, tios, primos, avós... Na mente e na emoção dessas pessoas, muitas vezes, existe um papel que foi feito sob medida para você. Não interessa nem se é positivo ou negativo, o que importa é que não foi você quem escolheu esse papel para você desempenhar. Você é jovem, tem tanto para aprender na vida e na profissão, que tal iniciar esse aprendizado pisando firme sobre os próprios pés? Pode dar certo, pode dar errado, mas, com certeza, vai ter muito aprendizado pela frente.

Quando falo em pisar firme sobre os próprios pés, em geral, a reação é a seguinte: "Ah, o que você recomenda é abrir meu próprio negócio? Juntar uma grana ou buscar investidores-anjo e partir logo para minha startup?". Bom, se você já dá a largada com a vantagem competitiva de contar com capital inicial e com um modelo de negócio inovador, quem sou eu para lhe dizer que essa talvez não seja a sua melhor escolha logo ao sair da faculdade? O máximo que posso fazer é sugerir um pouco mais de calma... Para que pressa? Como canta Lenine, "será que é tempo que lhe falta para perceber"[9] que você pode se dar o privilégio de aprender um pouco mais antes de entrar de cabeça na vida?

Entre a covardia e a precipitação, existe a preparação. Por que não procurar o primeiro emprego em um negócio semelhante ao da sua família ou da sua startup? Ali você vai se preparar, conhecer por dentro os gargalos e as ilhas de eficiência do setor, as possibilidades tecnológicas, a concorrência, os acertos e os erros de um negócio que já existe. Em outras palavras, nesse primeiro emprego, você vai receber um salário mensal para aprender... E é aqui que eu retomo a conversa sobre o valor do salário do seu primeiro emprego. Mesmo que não haja essas outras implicações com o seu próprio negócio ou com a empresa da sua família, principalmente no início da carreira, o maior valor do seu salário é o potencial de aprendizado. Entre as empresas que você gostaria de ser contratado, qual delas oferece a possibilidade de você aprender mais? Essa resposta é outro critério do seu processo para fazer a melhor escolha. Para mim, "o" critério.

QUAL É O MELHOR CHEFE PARA VOCÊ?

Na etapa final do processo seletivo, é bem provável que você seja entrevistado por quem vai ser seu chefe e/ou por alguns integrantes da equipe. Prepare-se e seja autêntico. Não tente aumentar, nem diminuir suas capacidades. Todo mundo sabe que você ainda não tem experiência profissional; isso está transparente no seu currículo. O mais importante é mostrar disposição para aprender. Tenho uma conhecida que gosta de fazer "teste de autenticidade" com candidatos a primeiro emprego. Lá pelo meio da conversa ela pergunta: "Ah, vindo trabalhar com a gente, você vai ter que fazer XYZ. Você já fez XYZ?". A maioria diz que "sim" e ainda tenta inventar uma história sobre como é fazer XYZ... Mas ela só contrata quem dá a

---

[9] Além de ler o texto deste capítulo sobre gestão do tempo, coloque para tocar a versão acústica do Lenine cantando "Paciência". Disponível em: <https://www.youtube.com/watch?v=je-RTYbzoEk>. Acesso em: 05 nov. 2016.

resposta autêntica: "Não, nunca fiz XYZ. Mas se você me ensinar, aprendo depressa". E não pode ser só da boca para fora: especialmente no primeiro emprego, essa tem de ser <u>mesmo</u> a sua atitude.

Nessas conversas prévias, é legal você também ter consciência de que não é a única pessoa que está sendo entrevistada ali. Tente dominar a timidez e pergunte sobre a empresa e sobre o dia a dia de trabalho. Avalie se as respostas combinam com seu jeito de ser. Quando o entrevistador for o líder da equipe, concentre nele todo seu poder de observação. É uma pessoa acolhedora e sorridente? Mais quieta e distante? Como parece se relacionar com a equipe? Não tenha receio, por exemplo, de fazer perguntas sobre aprendizado e gestão do conhecimento na área: qual é a melhor maneira para você maximizar o aprendizado trabalhando com aquele chefe? Cada pessoa tem seu jeito de ser e, por enquanto, como ela é a líder da equipe, é o jeito dela que vai prevalecer... O jeito daquele chefe parece combinar com o seu jeito de ser? É a sua visão da psicodinâmica que vai dar a resposta.

QUAL O TAMANHO DAS SUAS EXPECTATIVAS?

Como você não tem experiência profissional anterior, é normal nos primeiros tempos sentir um pouco de insegurança. No geral, esse sentimento se manifesta com uma atitude meio tímida, rapidamente superada com o apoio do chefe e de outras pessoas da equipe. Mas tem gente insegura que se comporta com arrogância, tipo "eu sou o Google e tenho resposta para tudo". A síndrome de Google é mais difícil e demora mais para ser superada. Costuma durar até o primeiro tombo, mas, às vezes, infelizmente, se perpetua. Vai me dizer que você não conhece ninguém inseguro que se comporta como se fosse o Google? Não é só que a pessoa seja chata. É que esse comportamento gera ao redor dela um ambiente de competição e desconfiança, exatamente o oposto do ambiente do líder contextualizador. Em outras palavras: não traz nada de bom para ninguém. Quando se sentir inseguro, assuma o que está sentindo e peça apoio. Simples e eficiente.

Outra atitude positiva, principalmente no "primeiro ano do primeiro emprego", é manter o bom humor e a disposição para "ralar" um pouco. Você chega com as expectativas lá no alto. Acha que vai arrasar. Afinal, estudou para ser gerente. Mas a dura realidade é diferente... tem que tirar xerox, aguentar a burocracia, esperar o processo decisório, respeitar a decisão do chefe, mesmo quando você acha que o melhor é fazer diferente... Em vez de se impacientar, tente ser como a andorinha da frase do Machado no começo desse capítulo: por um vão no telhado, escape para o infinito do céu. Voe alto e longe, sempre ouvindo a própria essência. É preciso manter a perspectiva da sua melhor escolha, criar as próprias oportunidades. Tente sempre lembrar por que você quis ir trabalhar naquela empresa com aquele chefe. Treine a visão da psicodinâmica; em vez de se irritar, procure entender os porquês. Em resumo, em vez de dizer "não", aprenda a dizer "sim", o que me faz lembrar do Rogério. Para mim, um bom exemplo de "andorinha":

> Formado há pouco mais de um ano em engenharia eletrônica, o cara estava bem bala perdida. Diziam que ele só gostava de saltar de paraquedas. Mas, como precisava de emprego, um amigo em comum me garantiu que ele estava "topando qualquer parada". Era começo da década de 1990, não conhecia o Rogério ainda, mas a única vaga que eu tinha era para temporário como digitador. A empresa havia acabado de trocar o banco de dados dos funcionários e as informações precisavam ser colocadas no novo sistema. É tarefa para urso solitário com paciência de chinês. Como era o que tinha, foi o que eu ofereci e ele aceitou. E não se achou "*overqualified*" para trabalhar como digitador.
> Em menos de três meses, Rogério conseguiu redigitar todo o banco de dados com a maior boa vontade e bom humor. Passava o dia trancado sozinho numa salinha digitando, digitando... No fim, ele proativamente ainda escreveu um manual com as regras para manter o banco de dados atualizado. Ali a história profissional dele estava só começando. Com toda aquela vontade de dizer "sim" para a vida, ele acabou contratado por outra área. Aquela "ralação" serviu para lhe abrir a porta de muitas

outras oportunidades. Fez uma carreira muito legal em empresas no Brasil, nos Estados Unidos, foi promovido para a Costa Rica e agora voltou ao Brasil como alto executivo de uma grande empresa do setor eletrônico. Outro dia, conversando, ele me disse: "Até hoje, ainda digo mais 'sim' do que 'não'".

QUAL É A HORA CERTA PARA A PRIMEIRA PROMOÇÃO?

Você já sabe a resposta. Não existe hora certa para ninguém ser promovido. Fora da situação, é fácil manter isso em mente. Mas, quando a gente está lá, dando a melhor contribuição individual para a empresa, e vê ficar vaga a posição dos nossos sonhos – pelo menos, dos sonhos mais imediatos – o coração grita: "Chegou a minha vez!". É quase impossível não criar novas expectativas. E, além de continuar a fazer a sua parte muito bem feita, você começa com a "gestão política". Conversa com um, conversa com outro. Tem gente que acha que a vaga já é sua; tem outro que lembra que o Fulano está há mais tempo na área... Mas parece que o chefe andou dizendo que o Fulano vai ser expatriado para a Argentina. Os meses se arrastam, a posição continua vaga até que... o chefe anuncia que, na semana que vem, começa alguém trazido do mercado! Pode ser que seja uma tremenda injustiça ou pode ser que o líder considere que você ainda precisa amadurecer mais um pouco. Tanto faz. Discutir o mérito dessa questão não vai mudar a realidade: a sua promoção não saiu dessa vez. A partir da semana que vem, é o Beltrano que vai ocupar aquele cargo.

Quando a gente é muito jovem, essas decepções podem ganhar cores dramáticas. A pessoa já quer mudar de emprego, pedir demissão, ir para outra empresa começar tudo do zero... Chega em casa à noite, conta para a família que foi preterido na promoção e os pais ficam indignados: "Aquele chefe não vê como você é genial!?". Calma, em vez disso, faça uma reflexão pragmática: onde é que o bicho está pegando? Na semana que vem, continue a fazer a sua parte bem feita, colabore com o Beltrano como costuma fazer com todo mundo da equipe... Não faça escolhas precipitadas; em vez disso, tente entender os porquês. Eu vi acontecer na minha frente uma história desse tipo, que teve final feliz:

> Numa multinacional do setor de alimentos, o diretor industrial das cinco fábricas no Brasil foi "promovido" a mero diretor das duas plantas do sul do país. É que, por razões que eu desconhecia na época, o chefe dele, que era responsável pela América Latina, quis ser transferido para trabalhar no Brasil. Eu era bem jovem e, quando fiquei sabendo, tinha certeza de que o sujeito não ia aceitar aquela situação. "Como? Ele era o diretor industrial do Brasil e foi 'promovido' a diretor das plantas do sul...?". Mas, em vez disso, ele aceitou. Mudou de São Paulo para Porto Alegre e ficou lá como responsável pela região.
>
> Dois anos depois, o que veio da América Latina para o Brasil pediu demissão e ele foi chamado de volta para o posto em São Paulo. Não sei o que aconteceu com o outro, mas esse que aceitou a situação com paciência seguiu carreira na empresa. Virou diretor industrial para a América Latina e hoje está na Holanda como vice-presidente global de operações industriais. Vitória da paciência. Ele entendeu, aceitou, fez o investimento e recebeu a recompensa por sua paciência.

A questão não é ficar decepcionado quando a promoção não sai na hora que você quer; a questão é entender o que está acontecendo ali e ir contornando os obstáculos. O que está faltando? Experiência, formação, treino? O que você pode fazer para melhorar? Entre todas as suas melhores escolhas, provavelmente a última deve ser pedir demissão imediatamente. Calma, que tem muito jogo pela frente!

Por outro lado, também pode acontecer o seguinte: você está lá no seu primeiro emprego, dando a sua melhor contribuição individual, quando, de repente, o chefe chama para uma conversa e anuncia: "A partir da semana que vem, você vai ser o supervisor da área XYZ". Alô?!

A novidade pega você completamente de surpresa. Não sabe nem o que dizer direito, mas agradece e vai para sua mesa. A cabeça roda a milhão por hora; a vida andava tão boa, tudo parecia sob controle: você estava aprendendo um monte, gostando de fazer seu trabalho, estava pensando até em voltar a estudar. E agora vem essa promoção para virar sua rotina de cabeça para baixo. De repente, você se dá conta de outro "detalhe": a partir da semana que vem, você vai ser o chefe de oito pessoas que hoje são seus pares e que, entre elas, você é o mais jovem. Pelo que você já observou com sua visão da psicodinâmica, a equipe pode emitir sinais de resistência. É provável que você tenha razão. Mas isso não é motivo para recuar e pensar em abrir mão da sua primeira promoção! Quando bater alguma insegurança, peça apoio abertamente para o chefe. Juntos, vocês encaminham a melhor solução para todos.

E, finalmente, não esqueça o seguinte: se houver boa sintonia entre você, o líder e a equipe, é grande a chance de o trabalho, mesmo que duro, ser produtivo e em alto-astral. Mas, se perceber tarde demais que não combina com a "vibe" do primeiro emprego, nada de desespero. Como já falei antes, a gente também pode aprender muito com o exemplo reverso; dê foco a aprender com seu chefe como você não quer ser no futuro. Da mesma maneira que já chegamos juntos à conclusão de que não existe má escolha que não possa ser refeita, também não existem escolhas perfeitas. Mesmo que você se esforce ao máximo para identificar sua essência e fazer reflexões pragmáticas, o processo das melhores escolhas pode falhar. Só que errar, não é fracassar. Vá com calma. Monte um plano de mudança de emprego para não atrapalhar seu desenvolvimento; segure a onda até ter uma boa história de aprendizado para contar e até encontrar um emprego mais adequado.

No caso de uma escolha realmente equivocada, porém, existe um limite claro que deve ser colocado por você. O chefe pode não ter o perfil de líder dos sonhos, mas existe respeito na relação com você e com os outros da equipe? Nesse caso, está tudo bem. Mas se houver comportamentos desrespeitosos e/ou algum tipo de assédio, definitivamente, não aceite.

Procure os canais formais da área de RH para informar o problema. Em casos sérios desse tipo, o silêncio não ajuda ninguém. Não entre nessas de que a omissão vai salvar reputações, porque não é bem assim não, como a gente vai ver no próximo capítulo.

GESTÃO DO TEMPO EM TRÊS PARÁGRAFOS

Por enquanto, o que você precisa saber sobre a gestão do tempo é o seguinte: no começo da carreira, uma das minhas dicas neste capítulo foi justamente para você, em vez de aprender a dizer "não", aprender a dizer "sim"... em geral, quem me ouve falar isso já vem logo com o contra-argumento: "Quem diz sim para tudo, acaba sem tempo para nada", e eu discordo e vou tentar abalar outro mito corporativo. Vamos sair da caixa? Na área de administração, especialmente depois da chegada das tecnologias da informação, houve uma avalanche de teorias e práticas para mostrar para a gente como fazer a gestão do tempo e aumentar a produtividade. Hoje em dia, como a qualidade de vida é mais valorizada, nos lançamos em uma busca "frenética" pelo equilíbrio entre trabalho, afeto e lazer. O que a gente observa no dia a dia, porém, é que todo mundo parece cada vez mais apressado, cada vez mais estressado e cada vez menos produtivo. Por que será?

Reclamar sem parar da falta de tempo, da sobrecarga de trabalho, de tudo que ainda falta para fazer e, por isso, abrir mão de novas oportunidades de aprendizado, não leva ninguém a lugar nenhum. É mais um vício do que uma solução. É desperdício... de tempo! Preste atenção, recupere o foco e faça comigo uma reflexão pragmática. Primeiro, é melhor a gente organizar a cabeça em relação ao tempo dedicado ao trabalho: no dia a dia na empresa, você tem o tempo do negócio (metas com prazo estratégico, em geral, anuais); tem o tempo do seu chefe (o prazo combinado com ele); e, por fim, tem o tempo que você escolhe em que vai investir. Essa terceira parcela é a que está sob o seu controle. É nesse tempo que você deve dizer "sim" para tudo que significar desafio e aprendizado. Tente sempre ampliar essa "janela de tempo", que é da melhor qualidade. É nesse tempo que você faz o que mais gosta e alcança os melhores resultados, aqueles

EXTRAordinários. Então, se organize: comece combinando prazos realistas com seu chefe. Depois, nada de querer ganhar mais uns dias... Prazo realista é realista, porque tem de ser cumprido. Nada de desculpas – nem velhas nem novas. Em seguida, tome consciência do seguinte: você não tem pouco tempo, o tempo não é escasso. Desde que o homem começou a medir o tempo, as horas não ficaram mais curtas. Nem para você nem para ninguém. Quem sabe é uma boa aderir à revolução do tempo proposta por Richard Koch em seu livro *O Princípio 80/20*? [10]

> Não deveríamos vê-lo [o tempo] como uma sequência, indo da esquerda para a direita, como está em quase toda representação gráfica que a cultura dos negócios nos impõe. É melhor ver o tempo como um dispositivo cíclico e sincronizado, como os inventores do relógio imaginaram. O tempo segue retornando, trazendo a oportunidade de aprender, de aprofundar alguns relacionamentos valiosos, de fabricar um produto ou de alcançar um resultado melhor e de adicionar valor à vida.

FICA A DICA:
PROCURE ALGUÉM PARA ADMIRAR

Agora que já resolveu O QUE "vai ser quando crescer", seria legal você escolher "COMO quer ser quando crescer"... Dê uma boa olhada ao seu redor. Existe alguém que você admira,[11] em especial? OK, pode ser parente ou algum amigo da família. Mas, além disso, tente identificar uma pessoa mais distante, um professor ou um profissional da sua área, que hoje é exatamente aquilo que você gostaria de VIR A SER. Se, no futuro, você ficar parecido com essa pessoa, vai se sentir bem-sucedido na carreira? Quais são suas principais características?

---

10 Vale a leitura, especialmente do capítulo chamado "Uma revolução do tempo" no livro *O princípio 80/20*, de Richard Koch. Belo Horizonte: Gutenberg, 2015. p. 152.
11 No Capítulo 4 eu já falei, lembra? Não confunda, por favor, admiração com inveja ou ciúme. A admiração é uma sensação positiva que incentiva a sua motivação; a admiração faz que você deseje se parecer com aquela pessoa naquele atributo específico.

O que você mais admira? O comportamento dela? As conquistas intelectuais? Ou é alguém que está numa de "ostentação"? Carrão, apartamentão, piscinão... Não cabe aqui juízo de valor: em sintonia com sua essência, quem é que você mais admira? COMO você quer que seja seu futuro profissional – e até pessoal? Além de bem-sucedida em sua área, como parece ser a vida afetiva dessa pessoa? A ideia de ficar parecido com ela continua a ser atraente para você?

Quando você identificar quem é hoje o alvo da sua maior admiração, você terá escolhido COMO quer ser no futuro. E minha dica é: descubra o máximo possível sobre essa pessoa – ou pessoas – por quem tem a maior admiração. Dê uma lida em biografias, faça pesquisa em livros e na internet... O seu objetivo deve ser entender a trajetória de vida, as escolhas e as razões de cada decisão. Tente aprender com os acertos e também com os erros. Se houver possibilidade, corra atrás da ideia de ter uma conversa pessoal. Pelo menos, uma vez. Se ela for acessível, o maior número de vezes possível. Aproveite para perguntar também quais foram as maiores bobagens que ela cometeu ao longo da carreira. Você já sabe: nunca vai conseguir escapar de todas as armadilhas. Mas esse "espelho" de admirador pode ajudar você a saltar por cima das bobagens mais óbvias e chegar lá mais depressa. Um passo de cada vez, boa caminhada até Ítaca.

TESTE FINAL DE APOIO DIDÁTICO

REFLITA E RESPONDA:
1. Ao fazer suas melhores escolhas, você usa a autonomia para expressar sua identidade. Isso torna você um adulto independente?
2. A sua identidade é singular na essência, mas está sempre interagindo com o ambiente e com as outras pessoas. Quais as consequências dessa interdependência?
3. A sua identidade não é uma camisa de força ou uma couraça inflexível. Descreva o processo de adaptabilidade aos novos contextos. Adaptabilidade e autenticidade são competências opostas?

4. Além de aprender com os melhores exemplos, é possível fazer o aprendizado reverso, ou seja, aprender como não fazer. Em relação à escolha da empresa para você trabalhar, o que você aprendeu com um exemplo reverso dado pelo autor?
5. O salário tem um valor que vai além do nominal, segundo o autor. Qual é o maior valor do seu salário, especialmente no primeiro emprego?

7

TODO VALOR DA SUA (BOA) REPUTAÇÃO

> Uma boa fama é um bem mais seguro do que o dinheiro.
>
> Publílio Siro[1]

Você está lá, todo satisfeito e animado: as suas primeiras melhores escolhas vão indo bem... você acaba de ser contratado por uma das empresas que mais queria, o chefe tem realmente um perfil que combina com o seu jeito e os colegas são bacanas. Está com o maior gás e quer dar a sua melhor contribuição para a equipe. A sensação é a de estar nos "píncaros da glória"! É a primeira conquista da sua autonomia. Parabéns, é justo e merecido você comemorar. Mas, depois de aproveitar o momento de euforia, bem-vindo de volta à vida, onde cada vitória é também um novo ponto de partida. Sem pressa, mas com perseverança e determinação, você está começando a construir passo a passo a sua trajetória profissional. Sempre haverá novas escolhas e, por isso, também vem muita reflexão pragmática pela frente. Ao longo do caminho, você tem de procurar as pedras para pisar e seguir firme na direção da sua Ítaca.

---

[1] Publílio Siro (85 a.C.-43 a.C.) – nascido na Síria, foi levado à Roma como escravo, onde seu senhor, reconhecendo seu talento, lhe proporcionou educação e depois o libertou. Poeta e ator, muito depois de sua morte, seus provérbios teriam sido extraídos de suas obras para compor o livro *Sentenças*. Para saber mais, vale ler o artigo disponível em: <http://www.ricardocosta.com/sites/default/files/pdfs/milproverbios.pdf>. Acesso em: 08 nov. 2016.

O primeiro emprego é também uma boa hora para a gente conversar um pouco sobre como você vai ser POR FORA. Até agora, falamos sobre aquilo que você é POR DENTRO e COMO escolher O QUE melhor expressa a sua identidade. Sem nunca desconsiderar a sua essência, você deve estar consciente da importância de cuidar também do seu POR FORA, aquilo que os outros veem, avaliam e usam para formar uma imagem[2] (positiva ou negativa) a seu respeito. Se, como eu pedi na nota de rodapé, você já foi lá ler o texto sobre o poder do efeito halo na nossa vida, entendeu por que vale a pena investir para que a maioria das pessoas tenha uma percepção positiva sobre você desde as primeiras impressões.

Não estou falando de aparências e sorrisos falsos. Bem ao contrário, estou falando de integridade que, para mim, é o seguinte: mais do que fazer o que fala, a gente antes precisa acreditar no que fala e faz. Eu já vi gente que fala muito, mas não faz nada do que fala; é tudo da boca para fora. Mas tem também quem fala e faz, mas não acredita; é tudo jogo de cena. Saiu de perto, virou as costas, deixou para lá. Não é que a pessoa tenha mudado de ideia, é que ela estava só jogando para a torcida. Para mim, gente assim não tem autenticidade e nem integridade. Se conseguir construir uma boa fama, não dura muito. Mais cedo ou mais tarde, as pessoas em volta percebem que era só fachada e rompem o vínculo de confiança. Pode estar certo: quando você acredita, fala e faz, vai sempre poder contar com a confiança dos outros.

Portanto, se você quiser que os outros tenham e mantenham uma boa percepção sobre você, o primeiro passo é agir PARA FORA sempre em sintonia com o que você é POR DENTRO. É assim que você vai formar e consolidar sua imagem, fama ou reputação profissional. Chame como preferir, o que você não pode é entrar numa de ignorar que a opinião dos outros também vai ter valor decisivo na sua carreira – para o bem ou para o mal. Os desdobramentos do efeito halo podem alavancar ou destruir uma

---

2 Antes de seguir adiante, leia neste mesmo capítulo a seção "Efeito halo: o poder das primeiras impressões" (p. 145). Além de explicar esse viés cognitivo, ali você entende que o efeito halo pode ser positivo ou negativo.

trajetória profissional. Quando alguém tem uma fama boa e sólida, não precisa de mais nada: nas situações mais difíceis ou desafiadoras, vai poder contar sempre com a colaboração dos outros (Figura 7.1). Por experiência própria posso lhe garantir: nem sempre basta ter boa fama, mas ajuda muito. Quando a gente é demitido, por exemplo, é a reputação profissional que vai agilizar ou dificultar a recolocação no mercado. Ou até mesmo quando saímos em defesa de algum ponto de vista diferente, é a boa reputação que abre os ouvidos alheios.

Figura 7.1 A boa reputação garante relações de confiança e predispõe os outros à colaboração

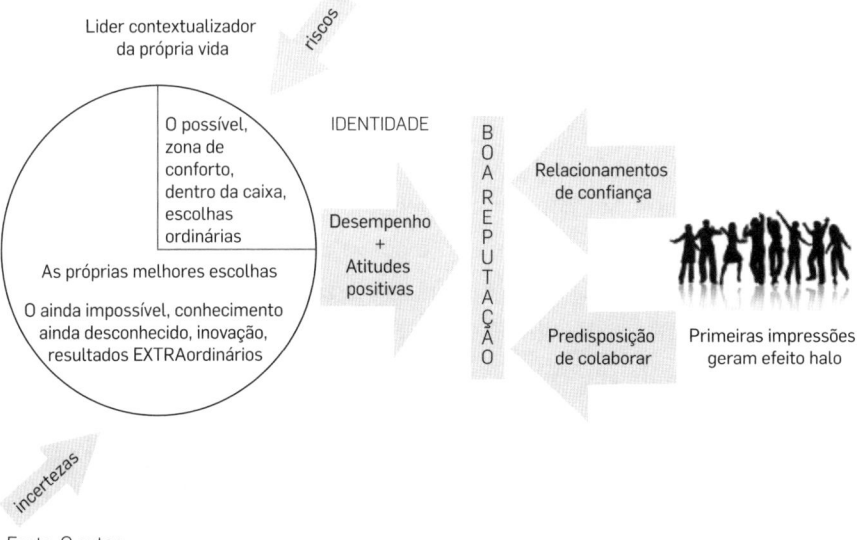

Fonte: O autor.

Apesar de a boa reputação trazer benefícios tão valiosos, tenho ouvido com alguma frequência as pessoas – especialmente as bem jovens – dizerem que "ninguém tem nada a ver com a minha vida; faço o que quiser". A resposta aqui é relativa: SIM, você tem toda a autonomia para fazer as melhores escolhas para a própria vida em sintonia com a sua essência; e NÃO, apesar de ter autonomia, você não é independente, você vive e convive em interdependência. No capítulo anterior, a gente tocou nesse ponto, mas agora vamos aprofundar essa questão da reputação. Como gosto de futebol, essa conversa me fez lembrar o exemplo de um jogador de futebol que chegou a jogar na seleção brasileira. O cara era realmente muito bom em campo. Tinha energia, vigor, puxava a equipe e fazia gols. Mas chegava sempre atrasado, não queria treinar, brigava e – pior – a turma dele vivia envolvida com drogas e armas. Olha, não dá para dizer que um técnico não tem nada a ver com a vida particular dos jogadores, quando o comportamento de um deles ameaça o melhor resultado da equipe. Aqui, lembro também daquele nadador norte-americano que, em 2016, mentiu sobre ter sido assaltado durante as Olimpíadas do Rio. A repercussão negativa do episódio fez que ele perdesse patrocinadores. É esse tipo de história que comprova o que eu costumo dizer: "Não há bom desempenho que justifique uma péssima atitude".

Por isso mesmo, dentro ou fora da empresa, quando seu comportamento puder prejudicar o andamento do trabalho ou ameaçar a sua reputação ou a da equipe, como bom líder, o seu chefe deve se interessar em lhe dar um feedback. Por que não? O chefe não é como pai, mãe, tia, amigo... a gente dá a maior pisada de bola e eles continuam lá, firmes, sempre do nosso lado. Na empresa, o líder tem a obrigação de orientar cada um para que a equipe alcance o melhor desempenho, mesmo que, às vezes, ele pareça muito chato. É o papel dele. Você pode receber um feedback negativo e mudar de atitude, ou não. A escolha é sua, mas você tem que ter consciência de que haverá consequências legítimas e inevitáveis. Então, quem sabe, antes mesmo de o seu chefe lhe dar um feedback negativo, possamos refletir sobre as atitudes mais construtivas para você ter uma boa reputação profissional?

REGRAS BÁSICAS DA BOA CONVIVÊNCIA

"Nossa, você viu?, ele sempre diz 'obrigado' no final!" Era alguém ao meu lado, comentando que o presidente do conselho de administração agradecia sempre que alguém terminava de lhe dar uma resposta. Foi essa expressão de admiração que, definitivamente, me chamou a atenção para o seguinte: no mundo corporativo, anda caindo em desuso aquela regra das "palavrinhas mágicas". Pode ter certeza de que sua bisavó teria lhe ensinado o seguinte: "Por favor, obrigado, com licença e desculpa são as palavras mágicas que abrem todas as portas". E eu, em tempos de comunicação móvel e instantânea, ainda acrescento mais uma: "Pode falar agora?" – é o que a gente deve perguntar antes de começar a falar com quem chamamos no celular. Não são décimos de segundos que vão atrasar o seu trabalho.

Vale lembrar: as cinco palavras mágicas são muito úteis também em e-mails e em todos os aplicativos de comunicação instantânea. OK, está liberado digitar "pfv", mas não deixe de pedir "por favor"... Não há pressa que justifique você deixar de ser gentil com todo mundo que trabalha com você – não importa se é chefe, colega ou subordinado. Garanto que ser honestamente educado com você e com os outros vai lhe render bônus de boa fama. Ser gentil não custa nada, aliás, é investimento, porque "gentileza gera gentileza" – é clichê, mas é fato. Outro dia, vi no Facebook uma resposta sarcástica para isso. Era a foto de um cachorro deitado com outro sentado nas costas dele e a frase: "Às vezes, gentileza gera gente folgada". Dei risada, mas vale um alerta sério aqui: ser gentil não é se tornar subserviente. A gentileza não faz você submisso às exigências de ninguém, especialmente aquelas do tipo "sem noção". Como faço trabalho voluntário em uma ONG de orientação profissional para jovens em risco socioeconômico, outro dia uma garota me perguntou o seguinte:

> Trabalho em um shopping, numa loja de bolsas e acessórios de grife. São coisas bem legais, bonitas, mas beeem caras... Aprendi depressinha o que me ensinaram e consegui começar a vender sem ter dúvidas ou achar que eu não sabia nada daquele mundo das coisas caras... Até que me achei rapidão na loja. Faz uns dias, a dona da loja quis conversar comigo. Primeiro, elogiou, disse que estava gostando do meu jeito e do meu trabalho... depois provou que é mesmo madame: ela me disse que,

trabalhando na loja, não poderia mais usar bolsa que não fosse da grife dela... Só ouvi aquilo e mandei: "Ué, como é que eu vou ter uma bolsa dessas? Ganho R$ X por mês e a bolsa custa R$ 5 mil??". Ficou um climão... acho que ela vai me demitir. Outro dia, em outra palestra aqui na ONG, disseram que a gente tem que usar e recomendar tudo da empresa em que a gente trabalha... Mas eu não tenho como comprar uma bolsa daquelas, nem parcelado... se comprar uma, vou trabalhar só pra pagar! Tô errada?

E a minha resposta para essa garota foi a seguinte:

Não, você está certa, é a dona da loja que não tem noção da realidade. Por outro lado, talvez você pudesse ter feito a mesma pergunta para ela de uma maneira mais educada, sem enfrentamento... Mas fez, está feito e você não está errada. Talvez seja melhor mesmo você ir trabalhar em outro lugar, porque essa dona de loja não vai deixar você se desenvolver... Só que ainda tem outro lado nessa história: vamos dizer que você vá trabalhar numa loja de produtos orgânicos... Mesmo um pouco mais caros, não é melhor você experimentar para conhecer? O ideal é que o dono da loja dê essa oportunidade de experimentar para todos os funcionários. Até aí, tudo bem, mas e você? Se não gostar de algum produto, vai falar isso para os clientes quando estiver vendendo? Claro que não... acho que foi isso que o outro palestrante que você ouviu, quis dizer... É melhor a gente tentar escolher trabalhar com alguma coisa que a gente goste, assim, na hora de vender, continua a se sentir autêntico.

É preciso reconhecer: tem chefe folgado, sim. Sei de outro que pedia para os funcionários, especialmente os mais jovens, fazerem os trabalhos de faculdade da filha... A garota estava cursando publicidade e propaganda e, como o sujeito era diretor de marketing, achava que "não custava nada a equipe ajudar a menina". Ser gentil e educado é aceitar com submissão esse tipo de comportamento do chefe? Não, claro que não. Felizmente, esse não é o seu caso, porque você está bem satisfeito com seu primeiro chefe. Mas, se um dia, enfrentar uma situação "sem noção", invente um pretexto bem forte do tipo: "Desculpe, mas todos os finais de semana tenho ido fazer companhia para a minha avó que está doente..." e não faça a lição de casa da filha do chefe. Se algum tempo depois ele insistir, sem fazer alarde, leve o assunto à área de recursos humanos pelos canais competentes e confidenciais. Além de ter bom senso, a boa educação é justa e recíproca. Para mim, essas são as regras mais básicas da boa convivência. São *default*, para não dizer mandatórias.

É MAIS EFICIENTE PEDIR DESCULPAS

Nos relacionamentos profissionais, no entanto, considero que é preciso ir um pouco além. Para ficar ao lado da eficiência no ambiente corporativo, outra atitude é saber pedir "desculpa". Primeiro, é preciso esclarecer que não há problema em errar, a questão é consertar. Existem pessoas que parecem nem conseguir admitir que cometeram um erro. Aí, em vez de ajudar a resolver, jogam o problema para baixo do tapete. Quando o chefe descobre, a pessoa deixa a responsabilidade pelo erro cair nas costas de quem estiver por perto – contanto que não seja ela. Pode escrever: essa atitude vai acabar colocando você na lista negra. Outro estilo também bem negativo é aquela pessoa que erra, entra em pânico (às vezes até chora!) e vai correndo para o chefe pedir para ele solucionar o problema. Na semana seguinte, repete o mesmo erro e, de novo, não resolve sozinho. Gente assim parece que não aprende. No trabalho, os erros precisam ser encarados com a devida naturalidade, o que quer dizer o seguinte: Errou? OK... procure antes identificar as possíveis soluções, converse com o chefe, peça desculpa, assuma a responsabilidade pelo problema, ajude a resolvê-lo e aprenda. A gente sempre vai errar, mas o adulto evita repetir o mesmo erro. Quando ficar na dúvida sobre como agir, se ponha no lugar do seu chefe: no futuro, quando você for líder de equipe, gostaria de ter um funcionário que não pedisse desculpas, não conseguisse colaborar na solução do problema criado e ainda repetisse os mesmos erros? A sua resposta é, provavelmente, igual à do seu chefe.

PONTUALIDADE TAMBÉM É RESPEITO

Acabo de lembrar outro ponto muito importante para ajudar a construir a sua boa reputação: administrar bem o próprio tempo. No Capítulo 6, na seção *Gestão do tempo em três parágrafos*, já dei umas dicas sobre isso, mas, no dia a dia do trabalho, existem algumas outras regras importantes. Uma delas é: não seja aquele profissional que está sempre atrasado, sempre dando desculpas. É o trânsito, o filho que você teve que deixar na escola, a empregada que faltou... Tem gente que é viciada em atrasar. Eu acho isso um desrespeito com quem é pontual. Ainda pior do que atrasar, é a mania de ficar renegociando prazos de entrega das tarefas. Em vez de combinar uma data realista e cumprir, a pessoa já conta que vai conseguir um adiamento. No dia combinado, vai lá no chefe e explica, explica, explica... até conseguir mais tempo. Outro dia, um amigo pediu a minha opinião: será que estava sendo muito inflexível? Uma funcionária dele estava colocando a promoção em risco por causa de uma bobagem desse tipo:

> A Joana é muito boa, competente, mas tem esse vício de atrasar. Ela atrasa todo dia de manhã. É o trânsito... O trânsito está cada vez pior, todo mundo sabe disso. Por que ela nunca sai de casa mais cedo? Mas ela também chega sempre atrasada nas reuniões, mesmo quando já está no escritório. Está sempre correndo, estressada, mas não consegue ser pontual. Nem para entregar as coisas que eu peço para ela fazer. Já aperto o prazo, porque sei que depois ela vai pedir mais tempo. Como sou pontual, confesso que fico irritado. Mas, como no geral ela tem bom desempenho, tento me controlar. Nem todo mundo é igual... a Joana

tem essa péssima mania de atrasar. Só que outro dia passou do limite e quem se estressou fui eu. Como estou pensando em colocá-la de gerente de uma área, pedi que estruturasse um projeto específico para apresentar para a equipe.

Depois da procrastinação habitual, ela me trouxe um ótimo trabalho. Aí, pedi que marcasse a reunião para apresentar ao time. Ela escolheu data, horário e convidou a equipe, formada por pessoas que teriam de vir para São Paulo, pois trabalham em outras cinco capitais. Joana fez tudo certo até o dia da reunião. Eram 9h15 de uma quinta-feira e estava todo mundo lá na sala – até quem pegou a ponte aérea do Rio às 6h30 – menos a Joana. Fiquei tão irritado, que comecei a reunião sem ela. Às 9h35, entrou na sala esbaforida e, para mim, ela "suicidou" a própria promoção... Sabe que desculpa ela deu para o atraso de mais de meia hora? "Desculpem o atraso, hoje era dia do meu rodízio!" Vamos combinar, aquela reunião era importante para ela ganhar visibilidade na equipe, e a Joana escolheu exatamente o dia e a hora em que o carro dela está no rodízio? Sinceramente, por mais que eu tente entender, depois disso, fiquei me perguntando: "Será que Joana está pronta para ser gerente?".

Meu amigo pediu a minha opinião, mas antes eu pergunto a sua: será que vale a pena administrar tão mal o próprio tempo? O vício de atrasar, além de não ser agradável na convivência, dá mais prejuízo para quem atrasa do que para quem espera. Para o meu amigo, sugeri o seguinte: dar um feedback bem objetivo para Joana e deixar com ela a escolha entre desistir definitivamente da mania de atrasar ou abrir mão da vontade de ser promovida. Vamos aguardar os próximos capítulos da novela "O que me falta é tempo!" Enquanto escrevo este livro, se souber como acabou essa história da Joana, conto para você. Ah, para finalizar essa questão da gestão do tempo, uma última dica: quem vive atrasado, geralmente, também tem a mania de "não conseguir" se preparar para as reuniões. Agora vou dar um exemplo meu:

Quando chamo a equipe para uma reunião, além de data e horário, informo o assunto e, quando é importante, envio com o *invite* algum material informativo – um pré-projeto, uma apresentação, um resumo do problema... E então na reunião faço uma pergunta para alguém, a pessoa não sabe responder e ainda alega candidamente: "Desculpa, chefe! É que não tive tempo de ler o material que você enviou antes!". Como você se sentiria no lugar do chefe? Sabe como eu me sinto? Sinto que essa pessoa, apesar de eu tentar, não está me ajudando a ser mais eficiente nas reuniões. Sabe o que, provavelmente, ela fala sobre as nossas reuniões? "Ah!, tá demais, a gente tem muita reunião improdutiva, não tenho tempo!".

COM QUE ROUPA EU VOU TRABALHAR?

Olha, sinceramente, sou muito desligado em relação a isso e, com certeza, não vou lhe fazer sugestões de estilo. Não dou realmente muita importância para a roupa das pessoas. Não é que eu seja desapegado de todo luxo ou sofisticação, é que não costumo reparar nisso. Para mim, existem outros comportamentos e atitudes mais importantes. Mas, pensando bem, isso também não é completamente verdade... Reparo, sim, mas reparo só quando alguma coisa me chama muito a atenção. Não sei nada de moda, mas sei quando uma roupa não combina com alguém ou com o momento em que está sendo usada. Primeiro exemplo: o carinha acaba de conseguir o primeiro emprego em uma instituição financeira e, depois de receber o primeiro salário, só aparece para trabalhar com ternos de grifes internacionais caríssimas. O que não combina nessa roupa? Segundo exemplo: a garota vai trabalhar com uma blusa de alcinhas, minissaia e sandália de salto 10 e passa o dia reclamando que o ar condicionado está "muuuuuiiiiito frio", apesar de todas as pessoas em volta estarem vestidas para o que eu chamo de "verão corporativo". O que não combina nessa roupa? Terceiro exemplo: a "festa de fim de ano da firma" vai ser à fantasia, o sujeito vai de garoto Bambam, ou seja, boné, sunga e clava na mão; e a garota vai com uma daquelas fantasias de enfermeira de sex-shop, mais "nude" do que vestida. Moralismo à parte, o que não combina nessas duas fantasias?

Vamos passar às respostas para eu lhe dar a minha opinião. No primeiro exemplo, o rapaz mal começou a carreira e já está na fase "O Diabo Veste Prada". Antes de começar a se vestir como se tivesse o salário do CEO, melhor seria começar a aprender tudo que a empresa e o chefe têm para lhe ensinar. Essa minha crítica quer dizer, então, que é legal ir trabalhar em andrajos? Não, quer dizer apenas que é melhor até a roupa combinar com a sua essência – inclusive, salarial. No segundo exemplo, o que não combina é que a garota vai para o escritório todos os dias vestida como se estivesse em um almoço à beira-mar. Quando sente frio, reclama do ar-condicionado. O que ela esquece é que, mesmo nas empresas em que todo mundo pode ir vestido informalmente, uma camiseta de mangas curtas, jeans e tênis podem ser mais adequados do que "alcinhas". E no terceiro exemplo, basta dizer que a "festa da firma" não é feita para ninguém – seja homem ou mulher – exibir os músculos. Não perca nunca de vista a ideia de que toda "festa da firma" é uma ótima oportunidade para você continuar construindo boas relações profissionais.

NA FIRMA, PODE TER "ALGO MAIS"?

E, por falar em relações, a "festa da firma" também é uma ótima chance para você dar "aquela ficada tão desejada" com o Fulano ou a Beltrana? A escolha é sua. Aí, sim, esse é um caso de "ninguém tem nada a ver com isso" – <u>desde que seja fora ou depois da festa</u>. Dar a "ficada" na frente da plateia dos colegas de escritório, só se você estiver mesmo a fim de virar assunto (inclusive com foto) nas redes sociais e em todos os corredores da empresa. Caso contrário, melhor você fazer a escolha de manter a sua privacidade: saia de lá e fique com quem quiser, onde desejar. Detalhe final: não conte para NINGUÉM no dia seguinte. Se cair na tentação de comentar, nem que seja com o(a) melhor amigo(a)... dificilmente a discrição será mantida. Pode apostar: vai viralizar na rede.

E como estamos falando dessas "ficadas memoráveis" depois da festa da firma, vou aproveitar para tocar também em outro tema até mais sensível. Como a gente passa até mais de oito horas por dia no trabalho, é natural acabar conhecendo ali na empresa uma pessoa bacana. Dali a pouco a gente sente que é mais do que "ficar", é bom estar junto... Pode ter certeza de que não sou adepto daquele ditado horroroso que diz que "onde se ganha o pão, não se come a carne". Em compensação, convido você para fazer uma reflexão pragmática, porque existem muitas variáveis na "paixão do escritório". A primeira possibilidade é a menos complexa: vocês não têm relação hierárquica direta e o afeto entre os dois é socialmente aceito. A não ser que a empresa tenha uma política explícita de impedir relacionamentos afetivos entre os funcionários, está tudo bem. Mas, duvido, porque esse tipo de política interna está cada vez mais superada e abandonada. Nesse caso, basta ser transparente com o seu chefe e depois com os colegas.

A segunda possibilidade é: o relacionamento entre vocês é socialmente aceito, mas um dos dois é chefe direto do outro. Minha sugestão é abrir claramente o relacionamento de vocês, mas já decidir depressa qual dos dois vai começar a procurar outro emprego. Vocês devem se preparar, porque o mais provável é que a empresa acabe escolhendo um dos dois: é realmente complexo ter duas pessoas apaixonadas trabalhando em relação hierárquica. Faça essa pergunta, por exemplo, para casais que trabalham juntos todos os dias no próprio negócio. Às vezes, dá certo, mas é raro. E, por fim, a terceira possibilidade é: não importa se um é chefe direto do outro, ou não, mas o relacionamento de vocês não é socialmente aceito. Olha, mais uma vez, esse é um caso do tipo "ninguém tem nada a ver com isso". Você tem todo direito de fazer as próprias escolhas, mas isso não vai mudar instantaneamente a realidade ao seu redor. Desde que o mundo é mundo, as pessoas fazem fofoca. Então, como diria Darwin, melhor ter a capacidade de se adaptar. Para não colocar a reputação profissional em risco, antes que a história de vocês vire *hashtag* nas mídias sociais, é melhor um dos dois procurar outro emprego.

VIRALIZANDO NAS MÍDIAS SOCIAIS

Sem exceção, todas as dicas que dei até aqui para construir e manter a sua boa fama valem também para as mídias sociais – especialmente, se você não faz grupos nos aplicativos, separando amigos íntimos de colegas de trabalho e parentes de "conhecidos-quase-desconhecidos". Nas mídias sociais, a maioria das pessoas tem públicos-alvo bem diferentes, tudo misturado no mesmo grupo, todo mundo recebendo as mesmas informações. Quero dizer o seguinte... aquela sua foto, bebendo espumante na boca da garrafa, na balada da sexta passada, com os seus amigos mais legais também interessa para a sua tia mineira que não vê você há quinze anos? Ou interessa para aquele recrutador que está procurando alguém para a vaga dos seus sonhos? Ou será que aquela sua foto toda bronzeada com decotão, óculos escuros e unhas stiletto vermelhas interessa para aquele cara que trabalha na empresa em outra área e vocês nunca falaram nada além de "bom dia"? Ou ainda vale a pena envolver todo mundo da sua rede naquela discussão sobre futebol cheia de baixarias – mesmo que você não seja o tipo que parte para a ignorância com bullying e xingamento? Reflita, por favor, e chegue à sua própria conclusão. Mas a minha sugestão é: nas mídias sociais, o cuidado com as regras da boa convivência deve ser redobrado. Você não sai postando "selfies" por aí e nem briga com a própria sombra. Assim, a tendência é que os outros respeitem um pouco mais a sua privacidade. Reclamar depois, não vai adiantar; a sua boa fama, "tipo assim, já era".

E agora uma última questão bem delicada: qual é o limite entre fofoca e compartilhamento de informações? Muito antes de as mídias sociais nos darem o poder de viralizar globalmente uma foto ou uma notícia verdadeira ou falsa sobre alguém, a fofoca e o *bullying* sempre existiram. Nas empresas, as fofocas continuam a correr soltas nas "reuniões de corredor" e, principalmente, em volta da máquina de café ou do bebedouro, mas a invasão da privacidade alheia se potencializa mesmo com as mídias sociais. Por isso, além de cuidar da sua própria imagem, você deve respeitar os outros e evitar postagens invasivas. Veja, o mais importante aqui é o seguinte:

não fazer fofoca, mas construir relacionamentos de confiança com pessoas com as quais você tenha liberdade para compartilhar informações. Lembra o que eu chamo de "piramidar ideias"? Pois é. Você leva para um colega um dado sobre um projeto que ele desconhecia, ele lhe conta uma informação nova, um terceiro acrescenta uma ideia, um quarto traz uma visão diferente... e "piramidando ideias", vocês colaboram para fazer um projeto melhor. Já a fofoca tem sempre um aspecto negativo, destrutivo, por mais hilária que possa parecer. Conclusão: no dia a dia de trabalho, a sua boa reputação agradece o compartilhamento de ideias e rejeita tudo que for comentário sinistro – seja no cafezinho ou nas mídias sociais.

Antes de colocar um ponto final nesse capítulo, fui reler todas as dicas. Estava com receio de que as recomendações estivessem muito rigorosas e exigentes. Mas foi bom reler, justamente para ter certeza de que tudo isso é apenas o básico para que você construa a sua boa reputação e torne a convivência no trabalho mais agradável e eficiente. Não é nada complicado. Apenas dei contexto às recomendações para você não achar que estou tirando isso do nada. Bem ao contrário. São sugestões que faço para você a partir de três décadas de vivência como profissional de GP e que podem ser simplificadas assim:

1. Ser gentil com todas as pessoas, usando sempre as cinco expressões: "por favor", "obrigado", "desculpe", "com licença" e "pode falar agora?".
2. Orgulhar-se de seus méritos, mas também assumir a responsabilidade por seus erros, aprendendo proativamente a solucionar os problemas.
3. Administrar o próprio tempo para não se tornar aquele profissional que está sempre atrasado, estressado e que acaba sendo pouco eficiente.
4. Combinar o seu jeito de ser e de se vestir com cada momento, ambiente e público-alvo.
5. Ser absolutamente transparente se surgir um relacionamento afetivo com algum(a) colega de trabalho. E não comentar nunca as "ficadas".
6. Saber preservar a própria intimidade e respeitar a privacidade dos outros, fazendo a diferença entre fofoca (destrutivo) e compartilhamento de ideias (construtivo).

Não é pedir demais para um jovem adulto em início de carreira, é? Incorporando estas poucas dicas no seu dia a dia, pode ter certeza de que você vai construir a melhor reputação. E, como disse Publílio na frase em destaque no começo deste capítulo, o valor da boa fama está acima de tudo – até mesmo do dinheiro. É a sua reputação que vai abrir as portas para as oportunidades e fechá-las para a maior parte dos problemas. Vamos em frente.

EFEITO HALO: O PODER DAS PRIMEIRAS IMPRESSÕES

Por enquanto, o que você precisa saber sobre o efeito halo é o seguinte: mesmo com poucas informações objetivas e factuais, a gente tem a tendência de formar uma primeira impressão (positiva ou negativa) sobre alguém e depois continua buscando outras características que confirmem nossa percepção inicial. A falta de dados concretos e suficientes, aliás, favorece a criação da nossa percepção sobre o outro: para completar a imagem, preenchemos as lacunas usando a imaginação, mas sempre em coerência com a primeira impressão. Um dos primeiros a observar e registrar esse fenômeno foi o psicólogo norte-americano Edward Lee Thorndike. Em 1920, ele escreveu o artigo "Um erro constante nas avaliações psicológicas",[3] demonstrando que, ao tentar avaliar características técnicas específicas, o avaliador não consegue se livrar totalmente da influência da primeira impressão genérica que formou sobre cada pessoa. Mas, muito antes de os cientistas darem a esse viés o nome de efeito halo, a sabedoria popular já havia consagrado o fenômeno em provérbios: "A primeira impressão é a que fica" ou "Você nunca terá uma segunda chance para causar uma boa primeira impressão" ou outro muito legal que encontrei na internet: "Não é a primeira impressão que fica, é a última. Só tenha cuidado para a última não ser a primeira". O povo diz e a ciência comprova: o efeito halo é um de nossos vieses cognitivos mais comuns e poderosos.

---

[3] Em inglês, "A Constant Error in Psychological Ratings". Você encontra esse artigo de Thorndike disponível em: <https://pt.scribd.com/doc/310470167/A-Constant-Error-in-Psychological-Ratings-1st-Article-About-Halo-Effect>. Acesso em: 15 nov. 2016.

Diariamente, todos nós estamos expostos à influência do efeito halo, não só em relação às pessoas, mas a quase tudo: empresas, marcas e produtos também. Por exemplo: quando os resultados de uma companhia são muito positivos, a tendência é considerar que o CEO é, no mínimo, inteligente e estratégico. Já o mesmo profissional à frente de uma empresa à beira da falência não seria visto com olhos tão benevolentes. Se uma marca, que você respeita porque costuma ter iniciativas sustentáveis, lança um produto inovador, você compra para experimentar. É o efeito halo que faz você transferir a boa percepção para o produto. Pode ser até que você fique predisposto a pagar mais caro por produtos dessa marca. Quando você forma uma reputação legal, a tendência do seu chefe é acreditar que você levará as mesmas qualidades para novos projetos - pode ser até que ele fique predisposto a lhe dar uma promoção. Em seu livro *Rápido e Devagar*, Daniel Kahneman[4] explica que o Sistema 1 pilota o efeito halo: é automático, irrefletido e a maior parte do tempo nem chegamos a nos dar conta de sua poderosa influência nas nossas avaliações. Segundo Kahneman, se a gente quiser evitar opiniões precipitadas, previsões equivocadas e avaliações preconcebidas (boas ou ruins), é melhor chamar logo o Sistema 2 para entrar em ação. Nas minhas palavras: para não julgar nada só pela aparência (e correr o risco de errar), faça antes uma reflexão pragmática.

FICA A DICA:
ORGULHO × VAIDADE

Todo mundo conhece alguém que "se acha". Só pelo jeito de vestir, sentar, falar e até pelo andar, a gente identifica: aquela pessoa que "se acha... o máximo". Está acima do bem e do mal porque acredita que é melhor do que os outros. Quando estiver perto de alguém assim, em vez de se irritar, aproveite e use a sua visão da psicodinâmica. Repare nos gestos e atitudes e também na reação das pessoas

---

4 Daniel Kahneman é o autor do best-seller *Rápido e devagar*: duas formas de pensar. Rio de Janeiro: Objetiva, 2012. A gente já falou sobre o funcionamento do Sistema 1 e do Sistema 2 no Capítulo 5, na seção "Razão e emoção em quatro parágrafos" (p. 105).

em volta. Além de se autoelogiar muito e de adorar elogios dos outros (mesmo os falsos), é bem provável que essa pessoa também seja meio arrogante e prepotente. É a personificação do excesso de vaidade. Observando bem, você acaba tendo mais um aprendizado reverso: para o bem da sua carreira, está ali um exemplo de como você não deve ser POR FORA.

Quem "se acha" pode até ser, de verdade, muito competente, ter ótimo desempenho e até alcançar excelentes resultados, mas é duro de aguentar. Ninguém gosta de conviver com pessoas desse tipo. Pior é que ninguém gosta de colaborar com gente assim. Sabe por quê? Porque a pessoa com esse comportamento é insegura a ponto de não conseguir compartilhar os méritos de nada. Se um projeto dá errado, a culpa é sempre dos outros. Quando o projeto é um sucesso, a vitória é só dela. Por mais talento que tenha, com essa fama ninguém vai muito longe profissionalmente. Quem é muito vaidoso perde a visão sistêmica e nem se dá conta da psicodinâmica (negativa) que gera ao seu redor. Parece que esquece que convive em interdependência e, mais cedo ou mais tarde, vai pagar as consequências disso.

Melhor é você tentar escapar dessa armadilha desde o começo da carreira. Mas, como vaidade todo mundo tem, eu sugiro que você inclua nas suas reflexões pragmáticas, uma frase do poeta Fernando Pessoa,[5] que eu gosto muito: "O orgulho é a consciência de nosso próprio mérito; a vaidade, a consciência da evidência de nosso próprio mérito para os outros". Você pode e deve conhecer as próprias competências e batalhar para que os seus méritos sejam reconhecidos e recompensados. Isso é ter consciência e orgulho do que você é POR DENTRO e POR FORA. Já a vaidade pode levar você à arrogância, à prepotência e ao excesso de ambição. E, aí, achando que merece todo $uce$$so do mundo, sua vida pode virar um inferno. Vale ver o *Advogado do diabo*,[6] um filme de terror que termina com o diabo (Al Pacino) dizendo: "A vaidade é, definitivamente, o meu pecado preferido". Para quem está começando a carreira, esse filme chega a ser pedagógico.

---

5 Citado em *O livro das citações*, de Eduardo Giannetti (São Paulo: Companhia das Letras, 2008).
6 Veja, pelo menos, a cena final do filme *Advogado do diabo* (Devil's Advocate, Warner, 1998), disponível em: <https://www.youtube.com/watch?v=DwEqLsSaIaI>. Acesso em: 17 nov. 2016.

TESTE FINAL DE APOIO DIDÁTICO

REFLITA E RESPONDA:
1. O efeito halo é a tendência de formar uma primeira impressão (positiva ou negativa) e depois continuar a buscar informações que confirmem essa percepção inicial. Por causa desse viés cognitivo que todos temos, qual é o valor da sua reputação profissional?
2. Todo mundo tem suas vaidades e, dizem os filósofos, negá-las é a maior de todas as vaidades. Como você pode usar a sua visão sistêmica e da psicodinâmica para lidar com a própria vaidade e com a dos outros?
3. Seus exercícios de autoconhecimento devem procurar identificar suas próprias competências, méritos e pontos de melhoria. De acordo com o poeta Fernando Pessoa, qual a diferença entre orgulho e vaidade?
4. Cuidar para ter uma boa fama não quer dizer distribuir sorrisos falsos e elogios. Em relação à sua boa reputação, o que é a autenticidade e a integridade? Você está sendo honestamente gentil com todas as pessoas?
5. A Figura 7.1 mostra o processo e os benefícios trazidos por sua boa reputação. Você pode descrever o processo que vai do que você é POR DENTRO até o que você expressa POR FORA?

8

O RISCO DE DERRAPAR AOS 35 ANOS

> Ter muita certeza é tão ruim quanto ter muita dúvida, não porque aquele seja o emprego errado, mas porque – sem perceber – a gente ainda pode ser vítima das expectativas e valores dos outros.
>
> Herminia Ibarra[1]

Cuidado para não derrapar na carreira por volta dos 35 anos! Agora sou eu quem fala isso para você, mas, quando ouvi pela primeira vez essa advertência, já tinha passado dessa fase. Era o líder de RH em uma grande indústria multinacional e Frederik, nosso diretor-geral para a América Latina, pediu para eu ser o facilitador em uma reunião, que ele considerava muito importante: queria conversar com os jovens talentos brasileiros sobre desenvolvimento de carreira, ou seja, falar com aqueles profissionais com potencial para chegar a postos de liderança sobre como poderiam avançar de forma mais segura e talvez, mais rápida. Foi uma conversa informal, muito direta e franca. Para mim, foi fácil intermediar o diálogo. Frederik realmente tinha vivências interessantes e bons conselhos para compartilhar.

---

[1] Herminia Ibarra (1961-) é professora e diretora do programa de educação executiva em Transição para Liderança do INSEAD e autora de livros, entre eles *Act Like a Leader, Think Like a Leader* (Boston: Harvard Business Review Press, 2015) – trecho citado em tradução livre. Alguns de seus artigos mais recentes estão disponíveis em: <https://herminiaibarra.com/latest-thinking/>. Acesso em: 26 nov. 2016.

Mas, o que mais me chamou a atenção foi a dica sobre o risco da derrapagem por volta dos 35 anos. Segundo Frederik, nessa etapa da carreira, o maior perigo é a gente ficar ansioso demais e acabar deixando escapar as melhores oportunidades de desenvolvimento profissional.

Ao ouvir aquilo, duvidei imediatamente: Será? Por quê? De onde o Frederik tirou essa ideia? Talvez esteja falando isso só para ajudar na retenção dos nossos melhores talentos. Mas, como tenho aquela minha "curiosidade congênita" sobre o que se passa na cabeça das pessoas, comecei a observar mais de perto a psicodinâmica profissional nessa faixa etária específica. E acabei notando que existe mesmo um tipo de "crise dos 35 anos". Não acontece com todo mundo, não é regra. Mas uma boa parcela do grupo de jovens talentos das empresas é atingida com maior ou menor intensidade por esse mal-estar profissional. Não é nada científico, claro, só observação empírica. Mas existem alguns indicadores de que essa crise pode estar por perto de você. O primeiro sintoma são as reclamações genéricas e generalizadas: esse é um jeito mais simpático de dizer que você passa a RECLAMAR DE TUDO. Reclama do chefe, dos colegas, das outras áreas; a colaboração dos outros é sempre palpite; ninguém quer saber de trabalhar, só você! Pior é que, de tanto reclamar, o seu humor azeda e leva para o buraco o astral de todo mundo em volta – no trabalho e até em casa. Se você está nessa faixa etária e a descrição lhe pareceu familiar, melhor a gente conversar.

AQUELA SEGUNDA-FEIRA CINZENTA E CHUVOSA

De repente, quando abre os olhos para ir trabalhar numa segunda-feira, você se dá conta que já tem mais de dez anos de carreira. A "novidade" cai como uma bomba sobre os seus ombros. Naquela manhã cinzenta e chuvosa, quando sai do banho e se olha no espelho, nota pela primeira vez: está naquela faixa etária em que ainda está bem longe de ser visto como idoso, mas também não é mais nenhuma criança. A sensação é que o tempo deu um salto. Da noite para o dia, você era jovem e agora está ali na faixa dos 35. Enquanto dirige – ou melhor, fica parado no trânsito –, sua cabeça não sossega. Influenciado por esse viés negativo, sua conclusão não poderia ser diferente: ontem, era um jovem talento promissor; hoje, está parado no *pipeline* de sucessão da empresa – em sua opinião, mais congestionado do que o trânsito ao seu redor.

Passado o susto inicial, você tenta voltar a pensar racionalmente. Fica mais introspectivo e "fecha para balanço". Numa rápida autoavaliação, passando a régua nos últimos dez anos, acha que fez um bom investimento na própria carreira: se aprofundou nos exercícios de autoconhecimento; identificou a essência interna e o contexto externo para se adaptar; aplicou a visão sistêmica e da psicodinâmica para interagir com mais eficiência; usou a autonomia para fazer as próprias melhores escolhas; manteve a motivação e aprimorou a maestria técnica; e cuidou muito bem da reputação. Parece que não faltou nada para você, como líder da sua vida, construir uma carreira brilhante. É aqui, exatamente nesse ponto, que lhe vem à cabeça aquela pergunta cruel, capaz de transformar um simples questionamento em crise profissional: "Por que eu ainda não sou um sucesso?". Este é o gatilho das reclamações generalizadas e da sua frustração, é isso que dispara o seu nível de ansiedade: já está mais do que na hora de ser promovido àquele cargo que você acha que fez por merecer! Se anda pensando assim, cuidado para não derrapar...

PRIMEIRO PASSO: IDENTIFICAR O(S) MOTIVO(S) DA CRISE

Essa turbulência interna e a sensação generalizada de fracasso profissional costumam estar diretamente relacionadas à falta de compreensão do resultado das suas próprias escolhas. Como você não tem consciência do que o levou a essa suposta encruzilhada, acaba entrando numa de revolta e mau humor: são os outros (especialmente, seu chefe!), que não reconhecem o seu valor. Está todo mundo boicotando a sua carreira. Esse é realmente um momento difícil, que eu chamo de desilusão inconsciente. Quando se sentir assim, pare tudo. Antes de tomar qualquer decisão ou atitude, ponha a bola no chão. Olhe em volta; para qual lado do campo está mesmo o seu gol? Respire fundo, corte o ritmo da ansiedade. É isso que turva a sua visão sistêmica. Existem várias situações que podem estar gerando essa sua crise. E há até a possibilidade de essa crise nem estar acontecendo de fato. Ou melhor, o que você agora sente como crise, pode não ser uma crise daquelas, pode ser mais uma etapa de desenvolvimento. Por isso, está na hora de fazer uma reflexão pragmática.

Em primeiro lugar, recomendo que você reflita para identificar qual é realmente o seu momento profissional. Existem diversas possibilidades, mas três delas costumam ser as mais comuns (Figura 8.1). Vamos ver em qual você se encaixa melhor e, em seguida, avaliar cada uma delas:

Figura 8.1 Tomar consciência do que realmente está acontecendo é o primeiro passo

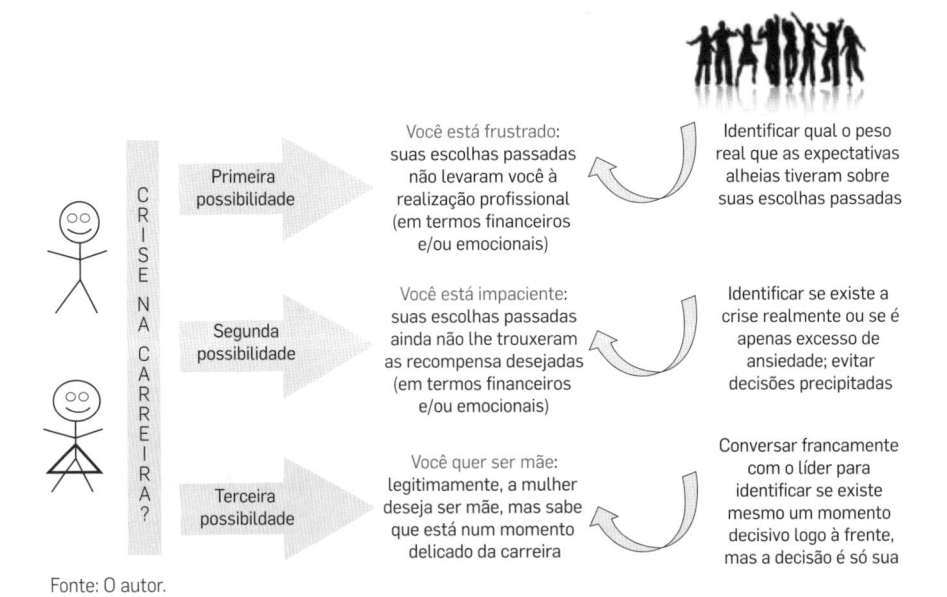

CRISE NA CARREIRA?

Primeira possibilidade: Você está frustrado: suas escolhas passadas não levaram você à realização profissional (em termos financeiros e/ou emocionais) → Identificar qual o peso real que as expectativas alheias tiveram sobre suas escolhas passadas

Segunda possibilidade: Você está impaciente: suas escolhas passadas ainda não lhe trouxeram as recompensa desejadas (em termos financeiros e/ou emocionais) → Identificar se existe a crise realmente ou se é apenas excesso de ansiedade; evitar decisões precipitadas

Terceira possibildade: Você quer ser mãe: legitimamente, a mulher deseja ser mãe, mas sabe que está num momento delicado da carreira → Conversar francamente com o líder para identificar se existe mesmo um momento decisivo logo à frente, mas a decisão é só sua

Fonte: O autor.

1. VOCÊ ESTÁ FRUSTRADO

Faça uma boa reflexão. Essa enorme frustração pode não ser uma crise com a sua carreira naquele emprego; você, de fato, pode estar em crise com a profissão que escolheu. Todos os dias pela manhã sua vontade é não ir trabalhar? Enquanto se arruma e toma café, tudo que consegue pensar é como seria maravilhoso ter outra profissão. Se for médica, quer ser tenista. Se for advogado, quer ser dentista. Qualquer coisa, menos aquilo que você é. No dia a dia de trabalho, acha tudo inútil e sem sentido. Sente um mal-estar contínuo, mas não sabe explicar bem o porquê. É uma enorme frustração que não tem tradução em palavras. Caso os seus sintomas sejam esses, sinto lhe dizer: isso é mesmo uma crise – mas e daí? Tudo tem solução. Vai ter de encontrar um novo contexto de vida e profissão. Só não aceite uma coisa: ficar conformado com a situação.

Em vez de entrar em pânico, é preciso antes entender como foi que chegou até esse grau de frustração. É direito seu fazer uma revisão das suas escolhas. E, fazendo isso, é bem provável que descubra que acabou escolhendo a profissão mais em sintonia com as expectativas dos outros do que com a própria essência. Sem ter consciência disso até agora, seu jogo era mais para a plateia do que para você mesmo. Bom, mas agora aos 35 anos é que vai começar tudo de novo? Voltar para a faculdade? E, se retornar à graduação, qual curso faria? Fazer o que a essa altura da vida? Reflita com calma. Só há duas atitudes proibidas: (1) ficar paralisado; e (2) continuar querendo ser o que acha que os outros querem que você seja. Tem gente que vê a saída, por exemplo, na ideia de tirar um período sabático, como fez o Rodrigo, filho de uma amiga:

> Em 2005, aos 33 anos, Rodrigo estava há 11 anos trabalhando no setor financeiro. E tinha, justamente, o que se convenciona chamar de uma carreira de sucesso. Já como gestor na área da administração de ativos, seu salário tinha chegado faz tempo aos dois dígitos e seus resultados eram muito bem recompensados com um bônus anual atraente. Vendo

de fora, parecia ótimo. Só que um dia ele acordou, se olhou no espelho e disse: "Até hoje, eu não fiz nada na minha vida para mim. Detesto tudo o que faço". Como era solteiro e sem filhos, sua estrutura de vida lhe permitiu um gesto corajoso. Vendeu carro, apartamento, pediu demissão e foi passar um período sabático na Austrália. Segundo ele, precisava pensar.

A mãe dele, preocupada, me contou: "Rodrigo foi um adolescente que não deu trabalho... não teve crises na adolescência e nem antes do vestibular. Não deu dor de cabeça. Entrou em administração, virou *trainee* do banco, foi morar sozinho e, na carreira, era quase uma promoção por ano. Até que agora, já com 30 e tantos, resolveu ter essa crise tardia de adolescência...". É como diz Herminia Ibarra na frase do início deste capítulo: dúvidas demais ou certezas demais não costumam ser boas conselheiras, especialmente na escolha da profissão. Pior só se as certezas não estiverem em sintonia com a sua essência: mais cedo ou mais tarde, o mais provável é que você sinta necessidade de rever essa escolha. Possível é, claro, mas costuma ter um custo alto a ser pago.

Só três anos depois, voltei a ter notícias de Rodrigo. Na Austrália, ele conheceu uma moça holandesa e foi morar com ela em Amsterdã. Depois, engravidaram e tiveram uma menina. A boa notícia era que os dois estavam felizes; a notícia melhor ainda, segundo a mãe dele, era que Rodrigo conseguira permissão para trabalhar na Holanda e acabara de voltar ao mercado financeiro – claro, numa posição menos vantajosa do que já tinha alcançado aqui no Brasil. "E a crise com a profissão?", eu quis saber. E a mãe resumiu: "Sei lá o que deu nele, sei lá o que fez passar... talvez o casamento e a filha tenham dado um novo sentido para ele". O que eu sei, com certeza, é que Rodrigo encontrou um novo contexto de vida e ressignificou sua profissão. Pagou um preço no status de carreira, mas superou o sentimento de frustração com a profissão. Não cabe a ninguém avaliar a decisão do Rodrigo, só a ele. Mas uma coisa posso garantir: se ele fizesse hoje aquele exercício de colocar no papel o resumo da vida, aposto que encontraria muitos ângulos positivos.

A ideia de sair para um período sabático, porém, não é viável para todo mundo: com 30 e poucos anos, é provável que já tenha uma estrutura de vida com casamento, filhos e prestação do imóvel próprio. Parar de trabalhar por um ano, por exemplo, envolveria outras pessoas e outros compromissos já assumidos. Nessa situação, tem gente que acha que a frustração profissional pode ser curada abrindo o seu próprio negócio. Nesse caso, geralmente, a pessoa foi demitida ou aderiu a um plano de demissão voluntária. Com o dinheiro das verbas rescisórias na mão, passa a acreditar que chegou o dia da vingança: "Agora eu vou ser meu próprio chefe, vou abrir minha empresa e ninguém mais vai mandar em mim!". Olha, sinceramente, essa não me parece ser a melhor motivação para abrir um negócio. Quem sabe, antes de investir todo o dinheiro da rescisão (só de FGTS foram mais dez anos, lembra?) no novo empreendimento, você pensa um pouco mais? Faça um plano, reflita pragmaticamente, não tome decisões ainda sob a influência da frustração. Olhe em volta, observe e contabilize: segundo o relatório do GEM,[2] a taxa de empreendedorismo inicial entre os brasileiros é crescente e estava em 21% em 2015; um trabalho do SEBRAE,[3] porém, lembra que, apesar de estar diminuindo, a mortalidade das empresas com até dois anos fica por volta dos 25%. Em outras palavras: um entre cada quatro novos empreendedores brasileiros fecha as portas do próprio negócio no máximo em dois anos de atividade.

Olha, essa conversa não é para desanimar você da sua iniciativa empreendedora. O objetivo, ao contrário, é ajudá-lo a fazer a sua própria melhor escolha... enquanto isso, tenho uma sugestão: que tal investir em um novo Plano A para a sua vida, enquanto ainda está segurando as pontas naquele

---

2 O Global Entrepreneurship Monitor (GEM) conta com a participação do Brasil desde 2000, sendo a pesquisa realizada aqui pelo Instituto Brasileiro de Qualidade e Produtividade (IBQP) com o apoio do SEBRAE e em parceria com o FGVcenn. O relatório de 2015 está disponível em: <http://www.bibliotecas.sebrae.com.br/chronus/ARQUIVOS_CHRONUS/bds/bds.nsf/c6de907fe0574c-8ccb36328e24b2412e/$File/5904.pdf>. Acesso em: 29 nov. 2016.

3 O relatório Sobrevivência das Empresas no Brasil foi divulgado pelo SEBRAE em 2013 com dados referentes ao período entre 2005 e 2010. Disponível em: <https://www.sebrae.com.br/Sebrae/Portal%20Sebrae/Anexos/Sobrevivencia_das_empresas_no_Brasil=2013.pdf>. Acesso em: 29 nov. 2016.

emprego que virou agora seu Plano B?[4] Explico: assim que fizer essa reflexão e conseguir identificar o motivo da sua crise com a profissão, vai sentir algum alívio da ansiedade. Feito isso, trace um novo Plano A, que pode ser, sim, abrir seu próprio negócio. Só de visualizar essa nova perspectiva, garanto que já não vai mais se sentir todo dia acordando numa segunda-feira cinzenta e chuvosa... Aproveite essa renovação de energia e invista tempo e dinheiro – agora sim! – para começar a estruturar o seu novo negócio. É um teste de viabilidade do empreendimento. Mas faz isso na paralela do seu dia a dia de trabalho "naquela profissão que não lhe dá mais nenhuma felicidade". É verdade, vai ser cansativo. Mas cansar agora é melhor do que ficar sem capital e sem perspectiva de futuro. Quanto à possibilidade de voltar à faculdade, também nada contra. É sempre renovador aprender coisas novas e conviver com gente mais jovem. Minha única sugestão é a mesma: cuide do seu novo Plano A na paralela daquele emprego que – bem ou mal – lhe dá tranquilidade para pagar as contas.

2. VOCÊ ESTÁ IMPACIENTE

Como nessas crises profissionais os sintomas costumam vir "junto e misturado", o que foi falado até agora não deve ser ignorado por você. Isso, apesar de a sua situação ser realmente um pouco diferente: seu dilema não é refazer nenhuma escolha do passado; você quer que a sua carreira – a atual, aquela que gosta tanto – finalmente deslanche. A sua ansiedade diária é causada pela sensação de fazer todos os dias a mesma coisa ou até pior: mais do mesmo. É como se estivesse enroscado no *pipeline* das promoções. Não vai nem para frente nem para trás (felizmente!). Mais uma vez: não se precipite. A melhor atitude imediata é controlar a ansiedade. Como? Bom, primeiro faça com mais calma e autocrítica aquela autoavaliação que você

---

[4] Lembra lá no Capítulo 2 da história daquela profissional que trabalhava em um emprego chatíssimo e queria mesmo ser agente da Polícia Federal? Ela foi atrás do Plano A, mas manteve o emprego para ajudar a viabilizar esse novo objetivo.

costuma fazer rapidinho. Aquela passada de régua nos últimos dez anos de carreira foi feita com a máxima sinceridade? Vamos rever juntos agora item por item? Com a devida autocrítica, de 1 a 5, que nota você se dá em autoconhecimento? Visão sistêmica e da psicodinâmica? Autonomia? Motivação? Maestria? Reputação?

Se ao final dessa reflexão continuar convencido de que está dando o seu melhor e recebendo de recompensa menos do que o merecido, é um bom momento para ampliar a conversa. Vá conversar com o seu chefe ou escolha alguma outra pessoa em quem confie bastante e que conviva profissionalmente todo dia com você. Por favor, não confunda: a conversa não é sobre aumento salarial, é sobre os fatores que podem estar adiando o seu desenvolvimento profissional. É um diálogo adulto; por isso, tente mais ouvir do que falar. Não é para você explicar porque já devia ter sido promovido; é para você entender por que ainda não foi promovido. É provável que exista um motivo que está fora do seu radar. Se achar a experiência positiva, amplie ainda mais a conversa: faça uma avaliação 360 graus informal, falando também com um colega e um subordinado de confiança. Depois de ouvi-los, tente responder: onde é que a sua promoção está pegando?

Identificado(s) o(s) motivos(s), adote as providências necessárias. Ou seja, faça um esforço extra justamente naqueles pontos que já entendeu que são os mais frágeis em você. É aqui que me lembro de outra dica da Herminia Ibarra:[5] "O paradoxo da mudança é que a única maneira de alterar o seu jeito de pensar é fazer aquilo que o seu jeito habitual de pensar mais evita que você faça". Entendeu, não é?[6] Seu desenvolvimento não vai ser mais rápido se continuar a fazer só o que mais gosta de fazer; você vai ter de enfrentar seus pontos fracos – que, aliás, estão mais fracos justamente porque já passou todos esses anos sem exercitá-los – prioritariamente.

---

5 IBARRA, Herminia. *Act like a leader, think like a leader*. Boston: Harvard Business Review Press, 2015 - trecho citado em tradução livre.
6 Para entender melhor essa dica, mais adiante neste mesmo capítulo você lerá a seção "Desenvolvimento humano em dois parágrafos".

Não adie, não postergue, não procrastine. Mude primeiro de comportamento. Pare de reclamar de tudo. Renove a motivação e entre em ação o mais depressa possível. Procure lapidar sua maestria. Faça um novo curso, recicle conhecimentos. Faça mais reflexões pragmáticas sobre Liderança Contextualizadora. Exercite mais a visão sistêmica e da psicodinâmica. E, acima de tudo, domine a ansiedade que pode levar você à decisão equivocada de trocar de emprego antes da hora. Bom, então, quando é que a gente deve trocar de emprego? É muito difícil conseguir identificar qual é "A" hora certa. Ficar tempo demais em uma posição, que não lhe dá satisfação nem emocional nem financeira, com certeza, também não será a sua melhor escolha. Conheço gente que se agarra tanto aos receios de "perder na troca", que fica estagnado. O tempo passa, o desenvolvimento não vem, a insatisfação cresce, a motivação diminui, a carreira estaciona e tudo isso somado, em vez de lhe dar a sonhada segurança, pode acabar na sua demissão. É um ciclo vicioso e cheio de tédio, que deixa a sua vida cada vez mais bege.

Por outro lado, dominado pela ansiedade, você corre o risco de ir "em busca de novos desafios" justamente quando a sua desejada promoção estava prestes a sair. Tenho um conhecido que derrapou aos 34 anos. Cansado de esperar pela promoção, quando foi pedir demissão, ouviu do chefe: "Puxa, que pena, Fulano! Eu esperava contar com você como gerente do projeto XYZ, que está planejado para o ano que vem. Na sua equipe, alguém já estaria pronto para o seu lugar?". Além disso, ao trocar de empresa, há sempre algum preço a pagar: na melhor das hipóteses, vai precisar (re)consolidar a reputação de bom profissional diante do novo chefe e dos novos colegas. Portanto, como cantava o The Clash, *"should I stay or should I go?"*. Minha resposta nos leva de volta àquela segunda-feira chuvosa no meio do congestionamento: é sempre o motorista mais ansioso que troca de fila a toda hora para ver qual delas anda mais depressa. Quando o trânsito está ruim, quantas vezes essa tática dá certo? Conclusão: você é o piloto da sua carreira e só você pode decidir qual é a melhor hora para "mudar de pista". Só posso lhe garantir uma coisa: se conseguir dominar a ansiedade, a pior inimiga da sua lucidez nas reflexões pragmáticas, tudo acaba se encaminhando melhor.

3. VOCÊ QUER SER MÃE

Todas as questões que foram discutidas até agora são aplicáveis aos dois gêneros; homens e mulheres enfrentam vários dos mesmos dilemas profissionais. As mulheres têm, todavia, outros mais. Muito ainda deve ser feito para a igualdade de gênero no mercado de trabalho. Existe o sério problema da desigualdade salarial. Há também a questão da maternidade, cujos esforços das empresas ainda estão longe de serem suficientes para que essa opção não seja pertinente quando se trata de carreiras e escolhas. Antes de mais nada, considero que esse seja um desejo absolutamente legítimo e de foro primordial de muitas mulheres. A conversa estaria encerrada aqui se a gente não estivesse conversando sobre a hipotética crise profissional dos 35 anos. Com toda empatia possível para um homem, imagino o seguinte dilema feminino: além de se dar conta que já tem mais de dez anos de carreira e de sentir toda aquela ansiedade e frustração causadas por um momento de crise profissional, ela coloca na balança mais uma questão importantíssima. É por volta dessa idade, justamente, que os médicos recomendam que as mulheres tomem uma decisão em relação à maternidade. Além disso, a gente não pode desconsiderar que "a opinião pública" ao redor também tem o seu peso. Futuros avôs e avós, principalmente, costumam fazer pressão para "ter netinhos".

E aí? E se ela engravidar agora e o chefe desistir de falar na desejada promoção? E se a licença-maternidade coincidir com a época mais crítica daquele projeto que ela está liderando? E se ela adiar um pouco mais a gravidez? E se, por fim, acabar adiando tanto que o melhor momento para engravidar passe? E se ela detestar ficar em casa cuidando do bebê durante a licença-maternidade? E se gostar tanto de cuidar do filho que nem queira mais voltar a trabalhar? E se, quando voltar, perceber que já ocuparam o espaço dela? E se, como já está se sentindo em crise e ansiosa, a volta da gravidez acabar em demissão? E se? E se? Caso você, leitor, também seja homem, faça um exercício de empatia: pegue todos aqueles motivos que tem para achar que está em crise profissional e some mais todas essas perguntas e temores exclusivos das mulheres profissionais na mesma faixa etária. A situação é delicada e merece todo nosso respeito. Para atravessar essa fase crítica, ela vai precisar também do nosso apoio e compreensão. É como disse tão bem Emma Watson, quando fez seu discurso no lançamento da campanha HeForShe na ONU:[7]

> Tanto homens quanto mulheres deveriam ser livres para ser sensíveis. Tanto homens e mulheres deveriam ser livres para ser fortes. É hora de começar a ver gênero como um espectro em vez de dois conjuntos de ideais opostos. Deveríamos parar de nos definir pelo que não somos e começar a nos definir pelo que somos. Todos podemos ser mais livres e é disso que trata o HeForShe. É sobre liberdade. Eu quero que os homens comecem essa luta para que suas filhas, irmãs e esposas possam se livrar do preconceito, mas também para que seus filhos tenham permissão para ser vulneráveis e humanos e, fazendo isso, sejam uma versão mais completa de si mesmos.

Só que esse apoio recíproco e integral também não quer dizer que a profissional possa se entregar à crise e à vitimização: "Ah, pobres de nós, mulheres, sujeitas a essa realidade cruel e a tantos dilemas!". Nada disso. Para sair dessa encruzilhada sem derrapar na carreira, a profissional pode lançar mão de tudo – sem exceção – que a gente já conversou antes. Mas ela pode ainda acrescentar algumas providências mais específicas em rela-

---

[7] O Movimento ElesPorElas (HeForShe) de Solidariedade da ONU Mulheres pela Igualdade de Gênero foi lançado em setembro de 2014. Mais informações em: <http://www.onumulheres.org.br/elesporelas/>. Acesso em: 05 dez. 2016. A íntegra do discurso de Emma Watson está disponível em: <https://www.youtube.com/watch?v=j-xqeTvD3as>. Acesso em: 05 dez. 2016.

ção à gravidez. Está na dúvida se o momento escolhido pode atrapalhar a carreira? Por favor, não troque ideias com ninguém na empresa antes de ter uma conversa franca e adulta com seu chefe. Seja homem ou mulher, o líder – se tiver perfil contextualizador – vai saber colocar você em uma perspectiva de tempo em relação à sua carreira, ou seja, em relação ao seu plano de desenvolvimento na empresa. Pode deixar essa conversa, inclusive, para a etapa de avaliação de desempenho: juntos, você e seu chefe vão identificar aqueles pontos de melhoria em que ainda precisa investir. Aliviada a ansiedade mais imediata, tracem seu plano de desenvolvimento, já prevendo o melhor período para você sair para curtir a chegada do seu bebê. Acho que não existe nada mais protagonista na vida do que a decisão de ter filhos.

Mas, porém, todavia, entretanto, no entanto... Se, ao me ouvir falar isso, você deu risada e pensou: "Ele não conhece o meu chefe! Conversas francas e adultas? Plano de desenvolvimento? Melhor hora para eu poder engravidar sem derrapar na carreira?". Se o seu chefe não consegue incentivar o seu protagonismo diante da própria vida, o mais provável é que ele também não saiba como apoiar você no seu desenvolvimento de carreira. Bom, se for esse mesmo o seu caso, talvez esteja na hora de começar a refletir pragmaticamente sobre a possibilidade de ir buscar desenvolvimento profissional com outro chefe ou em outra empresa. E essa dica final serve também para os homens: em vez de se entregar à frustração e à ansiedade, quando perceber que o chefe e/ou a empresa definitivamente não oferecem condições para o seu protagonismo e o desenvolvimento, comece a procurar outro emprego. Entre em ação com calma, determinação e planejamento que vai dar tudo certo.

DESENVOLVIMENTO HUMANO EM DOIS PARÁGRAFOS

Por enquanto, o que você precisa saber sobre desenvolvimento humano é o seguinte: historicamente, o foco de estudiosos como Piaget e Freud sempre foi a infância. Até meados do século XX, partia-se do pressuposto de que a maior parte do desenvolvimento humano estava concluída até o final da adolescência. Depois disso, a gente se tornava adulto e, supostamente, estabilizava, ou seja, não passava mais por crises de transição e desenvolvimento. Deve ser por isso que existe até hoje aquela crença popular de que "cachorro velho não aprende truque novo". Dessa vez, porém, a ciência desmente o que o povo diz. A partir da década de 1970, o psicólogo norte-americano Daniel J. Levinson[8] (1920-1994) iniciou sua pesquisa pioneira sobre o desenvolvimento adulto. Segundo sua teoria, a trajetória de vida de uma pessoa se desenvolve continuamente em períodos alternados de estabilidade e transição. E, portanto, de transição em transição a gente vai se desenvolvendo sem parar.

Esses sucessivos ciclos de estabilidade e transição formam a nossa trajetória de vida. Nas fases de mais estabilidade, não é que a gente não faça mudança nenhuma, é que essas novas escolhas tendem a ser menos drásticas e giram em torno daquilo que já foi decidido antes por nós mesmos. Como nos sentimos satisfeitos com as escolhas passadas, vamos fazendo mudanças que nos mantêm no mesmo rumo. São pequenos ajustes. Já nas etapas de transição, a probabilidade é que surja uma forte ansiedade por mudanças mais radicais e definitivas; é o que se pode chamar de crise. Queremos mudar de rumo – e depressa. Por isso, nesses momentos de crise, aumenta a probabilidade de a gente dar uma derrapada. É que a ansiedade por fazer mudanças rápidas e radicais pode nos levar a uma situação ainda mais complexa. Em outras palavras: você já está em crise com o seu atual momento e fazer novas escolhas apressadamente pode levá-lo a problemas ainda maiores. Cuidado! Minha sugestão é a seguinte: invista nas reflexões pragmáticas antes de entrar em ação; mas não fique parado, vá em busca de um novo contexto para sua vida. O que não vale a pena é virar uma dona Diva da vida (lembra dela, lá no Capítulo 4?)

---

[8] LEVINSON, Daniel J. *A Conception of Adult Development*. Universidade de Yale, 1986. Disponível em: <http://citeseerx.ist.psu.edu/viewdoc/download?doi=10.1.1.455.6972&rep=rep1&type=pdf>. Acesso em: 03 dez. 2016.

FICA A DICA:
A BUSCA DO NOVO CONTEXTO

Quem nasce primeiro, a transição ou a ansiedade? É a etapa de transição que chega naturalmente e traz essa sensação de pressa? Ou é a sua ansiedade que provoca uma crise onde ela não precisaria existir? Não adianta tentar fugir. É você – e só você – quem pode responder. Sim, vale procurar um coach, um terapeuta, um consultor... mas esse profissional só consegue "ajudar você" a encontrar suas próprias respostas. Aqui, não tem terceirização. Também não vai adiantar ficar parado, paralisado, esperando as respostas surgirem por iluminação, caídas do céu. Com calma, sem pressão, a sua melhor escolha é entrar em ação. Como? A saída dessa encruzilhada é encontrar o novo contexto, de acordo com sua nova etapa de vida. Para isso, sugiro um exercício bem simples. Já apliquei isso em várias pessoas e foi bem positivo. É meio que uma reflexão pragmática por escrito. Não custa tentar e ver se também ajuda você a reencontrar o rumo da sua jornada.

Vá para o computador, abra o Word e se concentre ali por apenas uma hora (marque no relógio). A tarefa é escrever a sua vida. Resumidamente, claro, só os grandes marcos. Aquilo que trouxe você até o atual momento. Não reflita muito, não, nem faça juízo de valor. Deixe o fluxo tomar conta do seu relato. Inclua, por favor, todos os fatos importantes relacionados à estrutura de vida pessoal e profissional. Exemplo: "Comecei a trabalhar em tal empresa em (ano), depois casei em... nasceu meu primeiro filho, mudei de emprego...". E coloque bem claro também a emoção que sentiu em cada um desses grandes momentos da sua vida. Exemplo: "Em 2013, fui trabalhar no exterior, ficando dois anos na matriz na Alemanha. Estava me sentindo tão satisfeito profissionalmente naquele momento por causa disso e daquilo". Não deixe de inserir os detalhes que a sua essência sugerir. Exemplo: "Aqueles dois anos que trabalhei na Alemanha foram o período da minha vida em que me senti mais sozinho". Ou seja, estou pedindo para você incluir, além da verdade factual, também a sua verdade essencial. Não é um currículo; é o resumo da sua vida – holisticamente falando.

Assim que terminar de escrever, releia essa primeira versão. O que percebe? É razoável supor que esse texto tenha uma visão geral mais negativa. Pelo que conta ali, a sua vida não é lá grande coisa mesmo. É natural, você está frustrado e se sentindo em crise. Releia a sua vida mais uma vez, tentando identificar os aspectos que lhe pareceram mais negativos. Depois, durante uma semana mais ou menos, faça uns ensaios mentais. Conte a mesma história em várias e diferentes versões. É como se fosse você mesmo, sendo visto por outras pessoas e, portanto, por outros ângulos. Tente lançar um olhar novo sobre suas vivências, procure uma visão mais positiva, que não esteja contaminada pela ansiedade e a frustração do momento.

Por exemplo, um amigo, ao descrever seu momento de crise, entre outros problemas, citou: "Tenho viajado tanto a trabalho que, quando consigo dormir em casa, já teve noite em que acordei, sentindo falta do ronco do motor do avião. 'O motor parou?!' Gritei sobressaltado!". OK, não é raro alguém realmente cansar do excesso de viagens a trabalho. Mas, quando pedi para ele reescrever como se fosse a visão do melhor *trainee* da equipe dele, a mesma frase ficou assim: "Minha vida não tem rotina, não fico preso no escritório. Às vezes, emendo uma viagem na outra: passo quatro dias em Nova York e sigo direto para Beijin". Está certo, essa visão pode ser reflexo do sonho aventureiro de alguém em começo de carreira. Mas a mesma frase, vinda de um profissional mais experiente e sem crise, não poderia ser assim? "Essas negociações internacionais me fazem viajar muito, mas o aprendizado tem sido valioso. Tenho boas histórias para contar sobre essa fase da minha carreira." Notou a mudança de enfoque? Foi do totalmente negativo para o razoavelmente construtivo. Ou, se você preferir, foi da vitimização para o protagonismo.

Então, depois de passar uns dias fazendo mentalmente esse exercício de buscar a perspectiva positiva em todos os marcos da sua vida, sente de novo diante do micro. Agora você vai reescrever a mesma história sem o olhar de crise. Para cada ponto ruim, procure o ângulo construtivo. Quando terminar, releia agora só o texto positivo. Essa é a sua nova visão da própria vida. Nas pessoas em que já apliquei esse exercício, esse foi o ponto de partida para elas identificarem um novo contexto e conseguirem fazer uma transição com mais segurança e tranquilidade. A ansiedade baixou, elas deixaram de se sentir vítimas. Voltaram a assumir o papel de líder da própria vida: isto é, aquele adulto que procura refletir antes para fazer as próprias melhores escolhas, mas que, por outro lado, também sabe que ser protagonista não é estar 100% no controle de tudo. Se Aristóteles ouvisse essa nossa conversa, talvez recomendasse o velho e bom meio-termo: "Ninguém é tão vítima do destino e nem tão protagonista da própria vida a ponto de desprezar o poder do acaso". *Preste atenção*: essa eu acabei de inventar.

TESTE FINAL DE APOIO DIDÁTICO

REFLITA E RESPONDA:
1. Não é regra científica, apenas observação empírica, mas por volta dos 35 anos, a maioria das pessoas costuma passar por uma crise profissional. Quais são as três principais possibilidades para isso estar ocorrendo com você?
2. A sensação generalizada de fracasso profissional, geralmente, está relacionada à falta de compreensão do resultado das próprias escolhas. Qual o primeiro passo para enfrentar esse momento de crise?
3. Quando a gente identifica os motivos do momento de crise, a tendência é buscar mudanças radicais e rápidas. Em vez disso, qual pode ser o caminho alternativo mais seguro?
4. É também por volta dos 35 anos de idade que as mulheres enfrentam a decisão da maternidade. Para não somar essa questão aos dilemas profissionais já enfrentados, que atitude ela deve tomar?
5. Se você não tem um chefe com perfil de líder contextualizador, é provável que ele não incentive o seu protagonismo diante da própria vida e também não saiba como apoiá-lo no seu desenvolvimento de carreira. Nesse caso, que atitude tomar para não virar dona Diva, que só reclama e não sai do lugar?

9

EU NO SINGULAR, VIDA NO PLURAL

> Tudo é uma questão de manter a mente quieta, a espinha ereta e o coração tranquilo.
>
> Walter Franco[1]

Nesse novo mundo da superconexão, a gente corre o risco de ir se tornando ultraindividualizados e essencialmente mais sozinhos. No dia a dia, entre trabalho, estudo, família, amigos, férias, viagens – e mais trabalho –, muitas vezes perde-se a chance de prestar mais atenção no que está acontecendo ao redor. A rotina é aquela: levanta, conecta na internet, toma banho, enfrenta o trânsito, chega ao escritório, responde e-mails, vai a reuniões, volta para casa cansado e com fome. Fica um pouco com a família, dá mais uma olhada nas mídias sociais e vai para a cama, que amanhã tem mais. Os dias se repetem assim até que tenha um feriadão ou cheguem as bem-vindas férias. Mas até isso pode causar estresse. Afinal, são uns dias de folga e há a obrigação de estar feliz...

Repare que, mesmo fora da rotina do trabalho, muita gente mantém o automático ligado e a superconexão na internet. Apesar de nem ter a

---

[1] Walter Franco (1945) – cantor e compositor paulistano sempre à frente do seu tempo, criador da canção-mantra *Coração tranquilo*, incluída na trilha do filme *Houve uma vez dois verões* (2002) com regravação do grupo Pato Fu. Disponível em: <https://www.youtube.com/watch?v=oWSz-ROEIOP8>. Acesso em: 10 dez. 2016.

desculpa da correria diária, não aproveitamos para prestar atenção na vida e nos outros. É como se a gente estivesse sempre no modo "vamos em frente". Vai vivendo, vai seguindo, vai fazendo escolhas – sem olhar nem para frente nem para trás. Fica mais difícil "aprender a vida" quando a gente não aproveita para avaliar as situações em retrospectiva e/ou em perspectiva. Apesar de tentar manter a consciência sempre alerta, ainda assim, de vez em quando, também me flagro nesse automatismo. Entro no modo de ação e reação imediata usando só o Sistema 1.[2] Então, faço uma parada forçada e aciono também o Sistema 2 para (re)ativar minha capacidade de observar, refletir e (re)aprender sempre a buscar as minhas próprias melhores escolhas.[3] Toda vez que consigo escapar dessa rotina robotizada, agradeço: já aprendi que viver sem refletir não me leva pelo melhor caminho até a minha Ítaca. É melhor não insistir nisso.

Outro dia, em um desses momentos de (re)ativação da capacidade reflexiva, saí "fora da caixa" em relação à questão da diversidade. A primeira ideia que me passou pela cabeça foi um maravilhamento com a singularidade do ser humano. Somos todos do gênero humano, tão iguais na essência e tão únicos na manifestação de nossas identidades. Ah, que bom seria se a gente fosse capaz de reconhecer nossas enormes semelhanças e acolher nossas pequenas idiossincrasias. É isso que nos torna tão multifacetados e faz a convivência tão enriquecedora.

Enquanto corria numa manhã ensolarada, pensava sobre a singularidade humana quando a palavra "diversidade" entrou na conversa dentro da minha cabeça. Primeiro, chegou revestida com toda racionalidade possível. Não há dúvida de que, pela lógica corporativa, a diversidade é reconhecida como uma necessidade. Existem, pelo menos, duas boas razões para isso: (1) para entender melhor as demandas do atual consumidor tão diverso e mutante, é preciso contar com um conjunto de funcionários que represente as

---

[2] Para relembrar o funcionamento do nosso processo cognitivo, releia a seção "Razão e emoção em quatro parágrafos" (p. 105), lá no Capítulo 5, onde eu resumo algumas das principais ideias de Daniel Kahneman e de Daniel Goleman.

[3] Sobre nossa capacidade de fazer escolhas livremente ou não, leia mais adiante a seção "O livre--arbítrio em três parágrafos" neste mesmo capítulo.

necessidades e desejos de cada um dos segmentos e nichos atendidos pelos produtos e serviços da empresa; e, até por isso mesmo, (2) a diversidade é o motor da inovação empresarial, tanto do ponto de vista da oferta de novos produtos e serviços quanto da melhoria dos processos internos.

Mas, para além desses motivos racionais, admito que, naquela hora, a palavra "di"versidade me incomodou um pouco. Não somos "di"versos, somos plurais: cada pessoa é singularíssima na expressão de suas identidades; mas, como conjunto, a pluralidade humana é infinita. Somos como a música que só tem sete notas, mas não existe uma canção igual à outra. Foi por isso que a palavra "di"versidade me incomodou. Entre as pessoas, não devia existir nenhuma "di"visão ou "di"cotomia. É que embutida no conceito de diversidade, também me veio junto a ideia de tolerância com as idiossincrasias dos outros. Não acho que a gente tenha que tolerar as "di"ferenças, o que supõe certo grau de esforço da nossa parte. Ao contrário, o respeito à singularidade do indivíduo e à pluralidade humana deve dispensar esforço; é o que há de mais natural. Nesse dia, acabei chegando à seguinte conclusão: o líder contextualizador, mais do que valorizar a diversidade, deve dar maior valor à convivência plural. E fui buscar na memória histórias vividas em que a pluralidade foi capaz de ir além das razões racionais, gerando benefícios tangíveis e intangíveis para todos.

O LÍDER QUE VIU O PAVÃO ENTRE OS PINGUINS

A lembrança mais imediata foi dos meus dois primeiros chefes, quando trabalhei nos Estados Unidos. Talvez eu seja meio tímido e reservado, mas também, logo no começo, me sentia estrangeiro demais... Naquela época, havia sido lançado o livro *Um pavão na terra dos pinguins*,[4] uma fábula corporativa sobre um pavão multicolorido que vai trabalhar em uma empresa

---

4 HATELEY, Barbara; SCHMIDT, Warren H. *Um pavão na terra dos pinguins*. Curitiba: Negócio Editora, 2005.

de pinguins, todos de uniforme preto e branco. Perry, o pavão, se sente deslocado. E eu me identifiquei. Perry era eu quando cheguei aos Estados Unidos: eu era "di"ferente e me sentia sob a lente do microscópio de todo mundo à minha volta. Eles me viam como um "hispânico" e eu não me reconhecia nessa "identidade forçada" da minha singularidade. No máximo, era um latino pela descendência italiana... Anthony, meu primeiro chefe, foi sempre gentil e acolhedor, mas tinha o perfil de um executivo norte-americano muito bem adaptado ao ambiente. De início, estava realmente com dificuldade de me soltar. Achava que não estava conseguindo trabalhar com a mesma desenvoltura e eficiência que tinha aqui no Brasil. Eu não gostava disso, mas acho que Anthony nem chegou a reparar. Estava tão bem adaptado que nem via nada ao redor. Ele era o líder dos pinguins – todos iguais!

Fui me virando como pude. Até que, numa reestruturação interna, veio para liderar a área um novo chefe: Elroy era um afro-americano, que chegara recentemente à posição de vice-presidente de RH. Depois de uma semana de convivência comigo, ele me chamou e mandou o diagnóstico direto no alvo: "Sérgio, essa história de se sentir diferente, eu conheço bem... Só tem um jeito. Eu te dou todo meu apoio, vou colocar você liderando novos projetos, mas você vai ter de se impor do jeito que você é. Ninguém na minha equipe é mais igual ou menos diferente, OK?". Bastou essa atitude de empatia do Elroy, agindo como líder contextualizador, para eu destravar profissionalmente também nos Estados Unidos.

DISPOSIÇÃO E ABERTURA PARA A PLURALIDADE

Um dos primeiros novos projetos que Elroy colocou sob minha responsabilidade foi o seguinte: era preciso transformar a área de compras, que até então só atuava nos Estados Unidos, em uma unidade global para atender a todas as subsidiárias da companhia no exterior. O objetivo era contar com a experiência mais diversificada possível. Queríamos montar uma equipe que trabalhasse em sinergia, "piramidando ideias", apesar das diferenças culturais. O alinhamento das políticas internas entre a matriz dos Estados Unidos e as subsidiárias europeias foi o primeiro desafio. Uma delas era a obrigatoriedade do atendimento de cotas, que incluíssem mulheres e minorias étnicas. A reação da equipe europeia foi imediata: não havia necessidade de cotas, pois o grupo já era bastante inclusivo. Em uma reunião, um deles argumentou: "Não precisamos de cotas, porque já temos um grupo diversificado. Na equipe, temos alemães, escandinavos, portugueses, italianos, poloneses...". Na visão dos norte-americanos, ao contrário, aquele era um grupo de semelhantes: europeus brancos na faixa etária dos 30 anos.

Já eu, como líder do projeto e com meu olhar de "estrangeiro", propus que fosse feito um recenseamento do perfil dos funcionários na área de compras na matriz e nas subsidiárias. Dali a seis meses, chegou a radiografia e, de fato, mesmo sem a imposição de cotas, o grupo de funcionários europeus era mais inclusivo em relação à gênero e etnias. Essa constatação não chegou a me fazer questionar a validade das cotas, não. Mas me mostrou que, apesar de a obrigatoriedade ser útil em determinadas circunstâncias, o mais importante é a gente ter disposição e abertura para a pluralidade na convivência. Foi com essa visão que a gente conseguiu estruturar e fazer funcionar muito bem nossa primeira equipe global – e plural – da área de compras na empresa.

VIESES AINDA ATRAPALHAM INCLUSÃO DE GÊNERO

Eu também já tive chefe mulher. Bárbara era uma líder contextualizadora nata e sempre abriu espaço para a colaboração em todos os níveis. Como sempre gostei muito de "piramidar ideias", em vez das reuniões formais para planejar ações, a gente conversava muito. Acho que ela foi a líder com quem mais troquei ideias sobre objetivos corporativos e ações alternativas para alcançar as metas. Acabou que, sempre que dava, na sexta-feira à tarde, tínhamos nossas conversas informais. Na verdade, sem nem se dar conta, a gente planejava a semana seguinte de trabalho. Quando troquei de emprego, uma vez ela me enviou um e-mail dizendo que sentia falta das "nossas conversas" – na verdade, reuniões que podiam ser chatíssimas de planejamento em RH, mas que o convívio plural transformara em um diálogo agradável e produtivo.

Sinceramente, nunca trabalhei em empresas que fizessem algum tipo de discriminação formal de gênero: homens e mulheres têm o mesmo plano de carreira, os mesmos salários e as mesmas oportunidades. Porém, mesmo assim, até eu que sou homem percebo alguns vieses culturais, quer ver? O homem, quando se posiciona firmemente em relação a alguma questão, é assertivo. Já a mulher, quando se posiciona firmemente, é mandona. Esse é apenas um dos vieses masculinos, porque, de fato, estamos impregnados por uma cultura machista sobre os comportamentos válidos para as mulheres... e também para os homens. Mas existem também alguns vieses femininos em relação aos homens e às outras mulheres. Outro dia, uma chefe recém-promovida me deu um bom exemplo disso. Para ela, o rapaz da equipe, que é assertivo, era "teimoso e resistente à liderança feminina"; já a moça, que também é assertiva, estava sendo considerada "excessivamente ambiciosa". Conclusão: não havia ali nenhuma questão de gênero ou de desafio à liderança feminina. O que havia naquela situação de conflito era uma boa dose de insegurança da líder sendo revestida com vieses de gênero.

Por isso, quando se trata da inclusão de gêneros, a gente tem de estar toda hora se questionando – homens e mulheres igualmente – para tomar consciência e explicitar esses vieses culturais. Como ninguém escapa deles, o objetivo é combatê-los, preveni-los e, sempre que possível, eliminá-los definitivamente. Até mesmo acima das questões de gênero, homens e mulheres devem se apoiar mutuamente pelo valor intrínseco de cada ser humano, como destacou Madonna em seu poderoso discurso ao ser eleita Mulher do Ano de 2016 pela Billboard:[5]

---

5 O discurso da Madonna você encontra disponível em: <http://www.hypeness.com.br/2016/12/o-poderoso-discurso-de-madonna-ao-ser-eleita-mulher-do-ano-pela-billboard/>. Acesso em: 21 dez. 2016.

> O que eu gostaria de dizer para todas as mulheres que estão aqui hoje é: mulheres têm sido oprimidas por tanto tempo, que elas acreditam no que os homens falam sobre elas. Elas acreditam que elas precisam apoiar um homem. E há alguns homens bons e dignos de serem apoiados, mas não por serem homens, mas porque eles valem a pena. Como mulheres, nós temos que começar a apreciar nosso próprio mérito. Procurem mulheres fortes para que sejam amigas, para que sejam aliadas, para aprender com elas, para que as inspirem, apoiem e instruam.

Além disso, volto a citar aqui a atriz Emma Watson, que já mencionei no Capítulo 8, porque gosto muito daquela proposta que ela apresentou no lançamento do HeForShe:[6]

> Eu quero que os homens comecem essa luta para que suas filhas, irmãs e esposas possam se livrar do preconceito, mas também para que seus filhos tenham permissão para ser vulneráveis e humanos e, fazendo isso, sejam uma versão mais completa de si mesmos.

Os vieses culturais de gênero existem de parte a parte, vamos nos apoiar para superá-los juntos. O ponto-chave é o seguinte: há entre homens e mulheres tantas semelhanças, a começar que somos todos do gênero humano, por que focar nas "di"ferenças? Somos aliados, não, adversários – muito menos, inimigos.

---

6 O Movimento ElesPorElas (HeForShe) de Solidariedade da ONU Mulheres pela Igualdade de Gênero foi lançado em setembro de 2014. Mais informações em: <http://www.onumulheres.org.br/elesporelas/>. Acesso em: 17 dez. 2016. A íntegra do discurso de Emma Watson está disponível em: <https://www.youtube.com/watch?v=j-xqeTvD3as>. Acesso em: 17 dez. 2016.

O MELHOR DA VIDA É QUE NINGUÉM É IGUAL

Outro exemplo dos benefícios da pluralidade de que me lembrei aconteceu aqui no Brasil, antes mesmo daquela minha vivência nos Estados Unidos. Foi na indústria de alimentos que levamos de São Paulo para Curitiba. Lá na Universidade de Alimentos (UAL),[7] que incluía uma pequena fábrica piloto, a gente fez uma turma de alunos formada só por deficientes auditivos. Geralmente, a maioria tem também dificuldade para falar. Por isso mesmo, a formatura deles foi a mais emocionante. Durante o curso técnico para trabalhar na fábrica, eles prepararam uma surpresa: ensaiaram meses para cantar o Hino Nacional. Foi uma aula de empenho e superação. Mas não só naquele dia da formatura. Foi além: aquela apresentação do Hino mudou para sempre a disposição dos funcionários em relação à convivência com pessoas com deficiência. A gente aprende a ter empatia, fica mais humano. A contribuição de cada um não pode ser medida com a régua única do desempenho e da produtividade. É o respeito à pluralidade que faz o ambiente de convívio ficar mais rico e agradável – até para todo mundo trabalhar mais e melhor. Aqui, o aumento de produtividade é o subproduto, não o contrário. Sei, porque já tive a oportunidade de mensurar.

Essa questão da "di"versidade × a pluralidade me faz retornar também àquela ideia de que, às vezes, parece que a gente quer preencher todos os cargos da empresa "sempre com a mesma pessoa de sempre". São tão detalhados os atributos e valores compartilhados e exigidos nos processos seletivos, que, em vez de "di"versas, as pessoas vão acabar sendo todas parecidas demais, para não dizer iguais. Bom, se for assim, com o avanço da inteligência artificial, daqui a pouco vai ficar mais fácil contratar robôs também para a gestão dos negócios. Mas acredito que essa nunca será a melhor escolha: vamos perder a riqueza da criatividade humana, que é capaz de multiplicar o potencial inovador das equipes.

---

7 Essa história está contada em detalhes lá no Capítulo 3.

É claro que deve haver consenso em torno dos objetivos estratégicos da empresa, mas o *groupthink* (pensamento de grupo) também pode ser prejudicial à qualidade da gestão. Existem estudos indicando que os grupos muitos homogêneos, com estilos e jeito de pensar bem parecidos, tendem a buscar sempre o consenso. E, se o alinhamento é positivo em relação aos objetivos estratégicos, não é o melhor, por exemplo, quando se trata de encontrar as soluções mais criativas. Sob a influência do pensamento de grupo, ninguém se dá conta, mas sempre prevalece o ponto de vista da maioria. Enquanto isso, as ideias diferentes são descartadas – ou nem são ouvidas.

É por isso que nos processos seletivos, como líder de GP, em vez de fazer discurso sobre o valor da diversidade, tento estabelecer o diálogo da pluralidade: a pessoa tem que compartilhar valores só naquilo que é essencial; de resto, basta que haja um ambiente de confiança para ela expressar sua singularidade. Vou contar uma história que parece bobagem, mas não é. Para mim, representa o respeito ao essencial em harmonia com o que é único, pessoal e intransferível em cada um:

> Renato é meu amigo desde a adolescência e sempre foi ligado em esportes. Na casa dele, aliás, todo mundo tinha essa paixão esportiva. Eram as Olimpíadas, a Copa e, nos fins de semana, idas de todo mundo ao estádio para ver o São Paulo jogar. O amor são-paulino levava a família para outras cidades e às vezes até em viagens mais longas para o exterior. No colégio, Renato adorava jogar futebol com a gente, mas, de verdade, era um perna de pau – até ele sabia. Apesar da paixão esportiva, Renato virou médico. Mas, para ele, esse universo do futebol era vital. Especializou-se em medicina esportiva e foi fazendo uma carreira muito bem-sucedida. Até que faz uns três anos, ele foi contratado por um grande clube de futebol. Não, não foi o São Paulo. Renato é médico do Palmeiras. Sabe o que é o mais legal? Tenho certeza absoluta de que ele está ali oferecendo o melhor dele como médico esportivo para cada jogador do time. Esse é o valor essencial para ele. Mas, outro

dia, encontrei a mãe dele que me garantiu: "Não perco uma partida do 'Renato' no Palmeiras!". Não é que ela mudou de time. Não é que ela deixou de ser torcedora fanática do São Paulo. É que, dentro dela, com a maior convicção, ela torce essencialmente pelo sucesso do filho: "Onde o Renato estiver, eu também estarei".

Portanto, vale contar com uma equipe com mais pluralidade e menos unanimidade. O líder contextualizador sabe que é melhor ter no time gente que consiga manter a autonomia e o juízo crítico compartilhando os valores essenciais. Quem respeita a pluralidade também convive melhor com o contraditório: não sai enfurecido de uma reunião porque alguém discordou dele. É mais resiliente e entende que a divergência é construtiva, quando encarada com maturidade. A convivência multifacetada e multicolorida é o que multiplica as chances de inovação. Por isso, fundamentando o contexto (a soma da visão sistêmica e da psicodinâmica), a gente tem que cultivar a essência, o propósito e o sentido da própria vida. Sair do modo automático. É isso que direciona as escolhas e as ações diárias do "eu" singular dentro da sociedade plural. Você vai viver mais e melhor com a cabeça e o coração em sintonia com suas escolhas e no convívio plural – sem precisar de esforço, com a maior naturalidade.

ENFIM...

Feche os olhos e imagine se você, sozinho, seria capaz de atender às suas necessidades mais básicas: comida, bebida, proteção contra o frio e o sol – casa e roupas – e segurança contra agressores externos. Basta esse exercício de imaginação para ter certeza de que ninguém consegue produzir sozinho tudo o que precisa para sobreviver. É por isso que, antes de ser um animal político, a gente é mesmo um ser social. A gente se organiza em sociedade para viabilizar a cooperação, o que quer dizer o seguinte: num dado espaço e tempo, as pessoas realizam uma série de atividades isoladas, que, de acordo com um determinado plano, serão depois interligadas. Então, alguém planta e colhe o trigo, o outro beneficia o grão e faz a farinha e o padeiro assa e vende o pão para você, que trabalha num escritório e não sabe fazer nada disso. Como toda forma de cooperação exige a divisão das atividades e depois a integração das operações, a liderança se faz necessária e surge a hierarquia.

Em busca do aumento da produtividade, a esse processo natural de cooperação em favor da sobrevivência, fomos adicionando complexidades. Primeiro, a partir da Revolução Industrial, evoluímos da manufatura para a mecanização e agora chegamos à automação da produção. Como resultado direto, ao longo do tempo, nossa estrutura produtiva foi se tornando muito mais complexa. Hoje há a crescente fragmentação e diversificação das atividades com multiplicidade de cargos e serviços, hierarquização das funções, diferenciação de salários, divisão de competências e concentração da autoridade e do processo decisório em lideranças afastadas do que realmente está acontecendo na operação. Em volta dessa megaestrutura, as relações sociais e interpessoais também ficaram mais complexas – para não dizer, confusas – e, às vezes, nem todo mundo parece entender seu papel nas organizações. A pessoa produz uma parte de quê? Está trabalhando de acordo com que plano? Aquela parte produzida é mesmo parte de que todo?

Ao que parece, as promessas embutidas nesse processo "evolutivo" da cooperação não estão se cumprindo: a gente não queria aumentar a produtividade para gerar mais excedente (riqueza) e ter mais tempo livre para ser feliz? Em vez disso, a crença exagerada no avanço tecnológico não nos trouxe a felicidade no trabalho, e a excessiva complexidade e a fragmentação das atividades estão nos deixando cada vez mais desmotivados. É aqui que chegamos a um ponto-chave: em um mundo velozmente mutante, onde copiar é cada vez mais simples e as mais "sólidas" vantagens competitivas se desmancham no ar depressinha, a inovação contínua e o constante aumento da produtividade é que fazem a diferença para que a organização se mantenha gerando valor sustentavelmente. Mas a resposta dessa equação se evidencia: sem motivação, a produtividade fica limitada.

Diante desse tipo de dilema, sempre me lembro de Augusto Nacarini,[8] o líder contextualizador com quem aprendi muito. Não com seus discursos teóricos, mas com sua habilidade sutil para criar um novo contexto e oferecer um espaço onde as pessoas conseguem se automotivar e se empoderar. Esse contexto pressupõe relações de confiança, construídas a partir da transparência no processo decisório, clareza nas normas de comportamento, informações compartilhadas sobre desenvolvimento pessoal e organizacional, além de regras para o reconhecimento e as recompensas dos méritos de cada um e do grupo. Foi também com Nacarini que aprendi, na prática, que ninguém motiva ninguém; ninguém empodera ninguém. As pessoas se automotivam e escolhem assumir a responsabilidade pelos seus atos quando sentem que o trabalho faz sentido. Cada atividade diária é significativa se estiver em sintonia com nossos planos pessoais – aqueles da nossa essência.

A Liderança Contextualizadora começa pela busca pelo alinhamento, isto é, uma proposta para que o grupo caminhe junto sobre uma mesma linha e na mesma direção. Por isso, a principal competência do líder contextualizador é saber ouvir. Sem julgar, sem concordar, nem discordar, apenas criando condições (contexto!) para que a conversa progrida "piramidando ideias". Quando o líder ouve de verdade, o outro fala sem medo e se estabelece a confiança. É só assim que as ideias afloram e, de repente, surge algo EXTRAordinariamente inovador. Por isso, quando o alvo da gente é a inovação, o líder deve saber manter a boca fechada e os ouvidos atentos.

Vejo também o líder contextualizador como um educador. Ele contribui para que cada pessoa assuma sua autonomia e tenha uma atitude consciente diante do trabalho. Saiba o que faz, por que faz e veja sua "assinatura" no produto ou serviço e também no resultado final da organização. É nesse ponto que os objetivos pessoais coincidem com as metas estratégicas da empresa. Dessa forma, o líder promove o engajamento, elevando o inte-

---

8 Augusto Nacarini foi quem me contratou naquela indústria global de alimentos em que trabalhei por mais de dez anos no Brasil e nos Estados Unidos. Sempre fui muito grato a ele pelo exemplo de líder que deu à equipe e sua atuação foi uma das inspirações para o conceito de Liderança Contextualizadora.

resse profissional pelo conteúdo do trabalho e o orgulho pelo que se faz e pelos próprios méritos na cooperação relevante para todos, inclusive para a sociedade como um todo. A motivação é renovada e há aquele esforço discricionário consciente para ir além e fazer mais e melhor. É assim que o líder contextualizador consegue, além de incentivar a inovação, chegar aos ganhos de eficiência e produtividade, ou seja, atingir resultados EXTRA-ordinários sustentavelmente.

O LIVRE-ARBÍTRIO EM TRÊS PARÁGRAFOS

Por enquanto, o que você precisa saber sobre o livre-arbítrio é o seguinte: com vertentes religiosas, filosóficas e científicas, é longo e complexo o debate em torno da capacidade humana para fazer, ou não, escolhas livremente. Apesar de a discussão ser milenar, até agora ninguém conseguiu chegar a uma conclusão definitiva. Foi a partir do Renascimento (1300 a 1600), que o humanismo retomou a ideia de que o homem era capaz de fazer o que escolhesse fazer. As escolhas de cada um eram o que definia a própria vida; isso era o livre-arbítrio. Do século XVII em diante, porém, o avanço das ciências naturais começou a cavar um abismo com as ciências humanas. Com diferentes graus de rigor, em linhas gerais, o determinismo afirma que todo evento tem uma causa e que essa causa – ou causas – predetermina as possibilidades da vida de cada ser humano. Portanto, o livre-arbítrio seria nossa maior ilusão. Imaginamos estar fazendo escolhas, quando, na verdade, tudo já está determinado – nem que seja por causas que ainda ignoramos por completo. Quando a fé religiosa entra nesse debate então, tudo fica bem mais complexo: além de mais agitadas, as discussões ficam ainda mais distantes de uma conclusão.

Enquanto os experts debatem, proponho uma reflexão pragmática sobre determinismo e autonomia. Vamos sair da caixa e olhar em volta. Não dá para negar a evidência cristalina, observável e científica de que existem causas físico-químicas e biológicas – como a genética, por exemplo – e também circunstâncias socioeconômicas, culturais e psicológicas que influenciam "tudo" na vida de cada pessoa. É a soma da visão sistêmica e da psicodinâmica que dá o contexto da vida de cada um, até aqui a gente já entendeu. Só que é preciso também deixar aberta a possibilidade de que existam causas ainda desconhecidas e que, por enquanto, não somos nem capazes de imaginá-las. Por outro lado, também sabemos que não dá para afirmar que alguém tenha o livre-arbítrio absoluto: aquela história de que basta escolher e fazer tudo que você quiser na vida. Quem já tentou isso, sabe que não é bem assim. Mas existe também um espaço para a nossa autonomia. E, como consequência, para que as escolhas de cada pessoa também influenciem – positiva e/ou negativamente – as causas e circunstâncias que levam a novos contextos – às vezes, fora daquilo que estava previsto.

Está tudo conectado e em interdependência. É exatamente por isso que o convívio plural é o mais enriquecedor do dia a dia: a singularidade de cada pessoa mostra para a gente que, sim, dá para encontrar novas soluções e ir além dos limites que "pareciam" prévia e rigidamente determinados. É o eu singular e a vida plural que me fazem ter convicção de que os resultados EXTRAordinários são viáveis. Para mim, a opção entre o determinismo e o livre-arbítrio é ter consciência das causas determinantes e, mesmo assim, entrar em ação e não desistir de fazer as melhores próprias escolhas. Outro dia, lendo um artigo de duas pesquisadoras[9] sobre as teorias de Henri Atlan, médico e biofísico francês que propõe uma conciliação entre as ciências naturais e as humanas, encontrei uma boa definição:

> A criança não escolhe realmente, deixando-se influenciar por desejo, sugestão ou hábito e sente-se livre quando tem a impressão de fazer o que quer; já o adulto, pelo conhecimento de seus próprios determinismos e daqueles do mundo circundante, experimenta, ao agir, o sentimento de exercer sua liberdade com conhecimento de causa.

---

9 Se você se interessou pela complexidade desse tema, vale a leitura desse artigo de Ana Maria C. Aleksandrowicz e Maria Cecília Souza Minayo: "Humanismo, liberdade e necessidade: compreensão dos hiatos cognitivos entre ciências da natureza e ética", publicado em *Ciência e Saúde Coletiva*, 2005. Disponível em: <http://www.scielosp.org/pdf/csc/v10n3/a02v10n3>. Acesso em: 16 dez. 2016. Mas se, para começar, você prefere pegar mais leve na teoria, sugiro dois livros: *Tudo que você precisa saber sobre filosofia*, de Paul Kleinman (São Paulo: Gente, 2014); e *A história da filosofia*, de James Garvey e Jeremy Stangroom (São Paulo: Octavo, 2013).

FICA A DICA:
PLANO DE "VIVEDORIA"

Quando o assunto é qualidade de vida, a gente logo pensa em cuidar da saúde para prevenir doenças: sair do sedentarismo, fazer exercício físico, emagrecer, passar por um *check-up* anual... É claro que tudo isso é importante: todo mundo quer viver mais. Mas, às vezes, a gente não percebe que, além de viver mais tempo, temos também de pensar em viver melhor. Olhe em volta: na sua família ou na dos seus amigos mais próximos, existe alguém com mais de 90 anos? Eu conheço três e são pessoas lúcidas e ativas. Estamos vivendo mais. As projeções do IBGE[10] confirmam a observação: a expectativa de vida do brasileiro é crescente e até 2050, cerca de 6,5%[11] da população deve ter mais de 80 anos. É nesse ponto que quero chegar quando falo em qualidade de vida. Com quantos anos você vai estar em 2050? Olha, essa tendência de longevidade é global e já está tirando o sono dos especialistas em políticas públicas. São eles que vão ter que encontrar soluções inovadoras e criativas para enfrentar a nova realidade. Mas e você? O que você pode fazer desde já para que, além de longa, a sua vida tenha qualidade e tranquilidade?

Essa é uma questão que já está sendo discutida no mundo inteiro. Em 2016, Lynda Gratton e Andrew Scott lançaram o livro *The 100-Year Life* [A Vida de 100 Anos] em que os dois especialistas falam sobre as escolhas que podem ser feitas hoje para assegurar que "a nossa nova expectativa de vida não se transforme numa maldição".[12] Eles dão umas dicas práticas bem úteis e vale a pena conhecer o site e o livro. Mas, para mim, essa proposta de cuidar da qualidade de vida – no presente e no futuro – começa pela boa administração do ego. Lá no Capítulo 7 a gente já falou sobre a diferença entre ter orgulho dos próprios méritos e ficar refém da vaidade desmedida. Só que há outras consequências, inclusive, financeiras. É que,

---

10 Moreira, Assis. "Crescimento demográfico no Brasil vai desacelerar em 2040, prevê ONU". *Valor Econômico*, 29 jul. 2015. Disponível em: <http://www.valor.com.br/internacional/4154720/crescimento-demografico-no-brasil-vai-desacelerar-em-2040-preve-onu>. Acesso em: 10 dez. 2016.
11 Em 2016, isso já representaria cerca de 13,4 milhões de pessoas.
12 Mais informações no site: <http://www.lyndagratton.com/books/258/91/The-100-Year-Life.html>. Acesso em: 10 dez. 2016.

para manter o ego inflado, geralmente, a pessoa também acaba aderindo ao consumismo desenfreado. É só roupa, relógio e caneta de grife, carrão, apartamentão, viagens fabulosas, hotéis caros, restaurantes estrelados... Sério, conheço casos: um conhecido chega a pagar 30% do salário por uma garrafa de vinho; e uma colega da minha mulher compra bolsas que valem metade do que ela ganha por mês como consultora. Cada um com seu prazer. Porém, não consigo deixar de questionar: será que essas pessoas são tão inseguras a ponto de precisar se "revestir" de luxo, achando que só assim merecem respeito e consideração? Em minha opinião, o que falta é uma administração mais eficiente da própria vaidade.

Só quando a gente desinfla um pouco o ego é que consegue aplicar na própria vida o tripé da sustentabilidade.[13] Pode parecer uma ideia meio estranha, mas vamos pensar juntos. Com menos vaidade, a convivência com os outros fica mais fácil e dá para compartilhar e colaborar mais:[14] todo mundo ganha e o astral fica mais leve e agradável. Quando o ego está bem administrado, também dá para ser mais consciente na hora de consumir. Isso alonga o ciclo de vida dos produtos e contribui para a preservação ambiental. E, logicamente, quem adere ao consumo consciente acaba ficando com mais recursos financeiros disponíveis. Aqui chegamos, finalmente, à sua preparação para ter uma vida longeva e sustentável. Em vez de esperar que as políticas públicas consigam se adaptar à nova realidade e ofereçam uma aposentadoria digna a quem passou a vida trabalhando, esta é a hora exata para você começar a planejar a sua "vivedoria". Nem uso mais a palavra aposentadoria, prefiro falar em "vivedoria".

Deixando de comprar guiado só pela vaidade, você faz um plano de investimento para chegar em 2050 com a segurança financeira garantida. Tenho lido e me informado um pouco sobre isso. Para mim, entre todas as ideias que já ouvi, acho que a mais fácil é a seguinte: separar todo mês 10% da sua receita líquida e fazer uma aplicação conservadora, isto é, com o menor risco possível. A ideia não é <u>ver se</u> no final do mês sobram 10% para investir. Seu compromisso é separar e investir

---

13 Referência ao conceito de *triple bottom line: people, planet e profit* (pessoas, planeta e lucro), criado em 1990 por John Elkington, um dos fundadores da ONG SustainAbility, e que se tornou conhecido com tripé da sustentabilidade

14 Sobre essa questão da boa convivência, não deixe de ler a seção *Fica a dica: orgulho x vaidade* (p. 146) no Capítulo 7.

10% do que você ganha no mesmo dia em que o dinheiro entra na sua conta. Garanto que logo você vai se acostumar a viver sem contar com esse dinheiro. Garanto também que daqui a trinta anos você vai ter uma boa grana para aproveitar a sua "vivedoria". Entre em algum site na internet[15] para simular esse investimento: vamos supor que, ao longo dos próximos 360 meses, você consiga aplicar R$ 575 por mês. Isso sem nem considerar que seu salário vai aumentando ao longo da carreira e que esse investimento mensal também será gradativamente maior. Então, daqui a trinta anos, de quanto será sua "vivedoria" (Figura 9.1)? Mesmo fazendo uma simulação bem conservadora, você poderá sacar uma grana mensal para complementar a sua aposentadoria oficial ao longo de mais 30 anos de vida. Ou seja, se você se aposentar com 60, vai ter essa renda extra de "vivedoria" até os 90 anos:

Figura 9.1 Plano de "vivedoria" para ter receita extra por 30 anos depois de aposentar

Quanto você vai juntar	
Aplicar por quantos meses	360
Qual o valor de cada uma das 360 aplicações?	575
Qual a rentabilidade anual?	8,0%
Rendimento mensal	0,6%
Quanto você já tem?	0
Quanto você terá no futuro?	R$ 809.917
Quanto você pode sacar todo mês para viver de renda?	
Dinheiro acumulado	R$ 809.917
Número de saques mensais	360
Taxa de rendimento mensal	0,6%
Valor das 360 retiradas mensais	R$ 5.498

Fonte: www.simuladorinvestimento.com.

---

15 Simulação de investimento conservador feita no site: <http://www.simuladorinvestimento.com/>. Acesso em: 12 dez. 2016.

Com a saúde bem cuidada e com a receita extra no bolso, fica mais fácil viver. A vida fica mais simples e ganha em qualidade. Mas isso só dá certo quando a gente para de acreditar que é melhor quem tem mais. O melhor mesmo é ter o suficiente para desfrutar uma longa vida com prazer e tranquilidade. Viver mais e melhor.

TESTE FINAL DE APOIO DIDÁTICO

REFLITA E RESPONDA:
1. Nesse novo mundo da superconexão, estamos ficando ultraindividualizados – e essencialmente mais sozinhos. O que fazer para sair do modo automático e reativar a capacidade de observar, refletir e aprender a vida?
2. A diversidade das equipes é hoje uma necessidade para as empresas. Quais são os principais benefícios trazidos pelas equipes mais diversificadas no atual contexto de negócio?
3. Em vez de "di"versidade, porém, o autor prefere o conceito de singularidade e pluralidade. Como essa ideia avança em relação à da "di"versidade? Explique a expressão "eu no singular e vida no plural".
4. O líder contextualizador, mais do que valorizar a diversidade, deve dar maior valor à convivência plural. Quais os benefícios tangíveis e intangíveis da convivência plural?
5. O autor propõe que, como adulto, cada um reflita pragmaticamente sobre o contexto de vida individual e faça as suas próprias melhores escolhas. É possível buscar um espaço de ação individual entre as circunstâncias determinantes?

BIBLIOGRAFIA

ALEKSANDROWICZ, A. M. C.; MINAYO, M. C. S.. *Humanismo, liberdade e necessidade*: compreensão dos hiatos cognitivos entre ciências da natureza e ética, publicado em Ciência e Saúde Coletiva, 2005. Disponível em: <http://www.scielosp.org/pdf/csc/v10n3/a02v10n3>. Acesso em: 16 dez. 2016.

ARROW, K. Gifts and Exchanges – *Philosophy & Public Affairs*, vol. 1, n. 4, 1972. Disponível em: <https://www.jstor.org/stable/2265097?seq=1#page_scan_tab_contents>. Acesso em: 31 jul. 2016.

ASSIS, M. de. *Memórias póstumas de Brás Cubas*. São Paulo: Abril Cultural, 1982.

ATLAS BRASIL. Programa das Nações Unidas para o Desenvolvimento. Instituto de Pesquisa Econômica Aplicada – Fundação João Pinheiro. Disponível em: <http://www.atlasbrasil.org.br/2013/pt/perfil_rm/23>. Acesso em: 02 set. 2016.

BALESTRIN, A. Uma análise da contribuição de Herbert Simon para as teorias organizacionais. *Revista Eletrônica de Administração* (REAd), v. 08, 2002, Escola de Administração – Universidade Federal do Rio Grande do Sul – UFRGS. Disponível em: <http://seer.ufrgs.br/index.php/read/article/view/44111>. Acesso em: 06 out. 2016.

BARELLI, E.; PENNACCHIETTI, S. *Dicionário das citações*. São Paulo: Martins Fontes, 2001.

BAZALGETTE, J. *Leadership*: The impact of the full human being in role, 24 set. 2009. Disponível em: <http://www.crossfieldsinstitute.com/wp-content/uploads/2014/10/John-Bazalgette-J-L-Leadership-the-impact-of-the-full-human-being-in-role.pdf>. Acesso em: 07 ago. 2016.

Bergamini, C. W. *Liderança*: a administração do sentido. *Revista de Administração de Empresas*, EAESP/FGV. São Paulo: v.34, mai/jun. 1994.

Bernardi, T. *Tudo o que é preciso para fazer literatura*. Folha de S. Paulo, 09 set. 2016. Disponível em: <http://m.folha.uol.com.br/colunas/tatibernardi/2016/09/1811567-tudo-o-que-e-preciso-para-fazer-literatura.shtml?-mobile>. Acesso em: 18 set. 2016.

Brasil Escola. *Biografia de Alexandre, O Grande*. Disponível em: <http://guerras.brasilescola.uol.com.br/idade-antiga/alexandre-grande.htm>. Acesso em: 04 set. 2016.

Book, H. E. *How to Practice Brief Psychodynamic Psychotherapy*: Core conflict relationship theme method. American Psychological Association, 1997.

Brandão, J. *Dicionário mítico etimológico*, vol.1 - A-I. Petrópolis: Editora Vozes, 1991.

Bulfinch, T. *O livro de ouro da mitologia*: histórias de deuses e heróis. Rio de Janeiro: Ediouro, 2000.

Byte Que Eu Gosto – blog sobre tecnologia. Disponível em: <http://blog.bytequeeugosto.com.br/5-servicos-inicio-da-internet-que-nao-existem-mais/>. Acesso em: 01 set. 2016.

Charan, R. *It's Time to Split HR* na Harvard Business Review, julho-agosto de 2014. Disponível em: <https://hbr.org/2014/07/its-time-to-split-hr>. Acesso em: 08 ago. 2016.

Costa, R. da; Bragança Júnior, Á. A.; e Pastor, J. P. *O livro dos mil provérbios (1302) de Ramon Llull*: texto e contexto. Disponível em: <http://www.ricardocosta.com/sites/default/files/pdfs/milproverbios.pdf>. Acesso em: 08 nov. 2016.

Darwin, C. *A origem das espécies*. Belo Horizonte: Villa Rica Editoras Reunidas, 1994.

Folha de S. Paulo. *Mudança desvaloriza o real*, 14 jan. 1999. Disponível em: <http://www1.folha.uol.com.br/fsp/dinheiro/fi14019915.htm>. Acesso em: 28 ago. 2016.

Eboli, M. *Educação corporativa no Brasil*: mitos e verdades. São Paulo: Editora Gente, 2004.

Espaço Machado de Assis – *Academia Brasileira de Letras*. Disponível em: <http://www.machadodeassis.org.br/>. Acesso em: 29 out. 2016.

Garvey, J.; Stangroom, J. *A história da filosofia*. São Paulo: Octavo, 2013.

Giannetti, E. *O livro das citações*. São Paulo: Companhia das Letras, 2008.

Gikovate, F. *O bem, o mal e mais além*. São Paulo: MG Editores, 2005.

Gladwell, M. *The Tipping Point*: How little things can make a big difference. Boston: Little Brown, 2000.

Global Entrepreneurship Monitor (Gem) 2015. Disponível em: <http://www.bibliotecas.sebrae.com.br/chronus/ARQUIVOS_CHRONUS/bds/bds.nsf/c6de907fe0574c8ccb36328e24b2412e/$File/5904.pdf>. Acesso em: 29 nov. 2016.

Goldsmith, M. *What Get You Here Won't Get You There*. Profile Books, 2013.

Goleman, D. *Inteligência emocional*: a teoria revolucionária que redefine o que é ser inteligente. São Paulo: Objetiva, 1996.

Hamel, G. *What Matters Now:* How to win in a world of relentless chance, ferocious competition and unstoppable innovation. São Francisco: Jossey-Bass, 2012.

Hateley, B.; Schmidt, W. H. *Um pavão na terra dos pinguins*. Curitiba: Negócio Editora, 2005.

Heifetz, R.; Grashow, A.; Linsky, M. "The Theory Behind the Practice: a brief introduction to the adaptive leadership framework". In: *The Practice of Adaptive Leadership*: Tools and tactics for changing your organization and the world. Boston: Harvard Business Press, 2009.

Ibarra, H. *Act Like a Leader, Think Like a Leader*. Boston: Harvard Business Review Press, 2015.

Kahneman, D. *Rápido e devagar*: duas formas de pensar. Rio de Janeiro: Objetiva, 2012.

Kaváfis, K. *Poemas de K. Kaváfis*. São Paulo: Odysseus Editora, 2006.

Kets de Vries, M. *Organization on the Couch*. São Francisco: Jossey-Bass, 1991.

_____. *O efeito porco-espinho*. São Paulo: DVS, 2013.

KLEINMAN, P. *Tudo que você precisa saber sobre filosofia*. São Paulo: Editora Gente, 2014.

KOCH, R. *O Princípio 80/20*. Belo Horizonte: Gutenberg, 2015.

LENCIONI, P. *Os 5 desafios das equipes*. Rio de Janeiro: Sextante, 2015.

LEVINSON, D. J. *A Conception of Adult Development*, Universidade de Yale, 1986. Disponível em: <http://citeseerx.ist.psu.edu/viewdoc/download?doi=10.1.1.455.6972&rep=rep1&type=pdf>. Acesso em: 03 dez. 2016.

LORENZETTI, J. P. *Resumo e análise de Ética a Nicômaco*. Disponível em: <http://www.consciencia.org/etica-a-nicomaco-resumo-e-analise#_Toc78270219>. Acesso em: 17 set. 2016.

MARQUES, I. H. *Sartre e o existencialismo*, artigo publicado *na Revista Eletrônica da Funrei* (Fundação de Ensino Superior de São João del-Rei da UFSJ), n. 1, julho 1998. Disponível em: <http://www.ufsj.edu.br/portal-2-repositorio/File/lable/revistametanoia_material_revisto/revista01/texto09_existencialismo_sartre.pdf>. Acesso em: 05 out. 2016.

MCKINSEY&COMPANY. *Why leadership-development programs fail*, artigo de Pierre Gurdjian, Thomas Halbeisen e Kevin Lane publicado no McKinsey Quarterly, janeiro 2014. Disponível em: <http://www.mckinsey.com/global-themes/leadership/why-leadership-development-programs-fail>. Acesso em: 25 jul. 2016.

MENDES, A. M. (org.). *Psicodinâmica do trabalho*: teoria, método e pesquisas. São Paulo: All Books, 2007.

MOREIRA, A. *Crescimento demográfico no brasil vai desacelerar em 2040, prevê ONU*. Valor Econômico, 29 jul. 2015. Disponível em: <http://www.valor.com.br/internacional/4154720/crescimento-demografico-no-brasil-vai-desacelerar-em-2040-preve-onu>. Acesso em: 10 dez. 2016.

MUNIZ FILHO, S. M. S. *Os efeitos do estilo de liderança no comprometimento organizacional dos profissionais de tecnologia da informação*, dissertação de mestrado apresentada na Escola de Administração Pública da FGV/RJ. Disponível em: <https://bibliotecadigital.fgv.br/dspace/bitstream/handle/10438/13087/Disserta%C3%A7%C3%A3o_Final_Sergio_Muniz.pdf?sequence=1&isAllowed=y>. Acesso em: 23 jul. 2016.

PucSP. *O pensamento de Aristóteles*. Disponível em: <http://www.pucsp.br/pos/cesima/schenberg/alunos/paulosergio/filosofia.html>. Acesso em: 03 set. 2016.

PINK, D. H. *Motivação 3.0*: os novos fatores motivacionais para a realização pessoal e profissional. Rio de Janeiro: Campus Elsevier, 2010.

SANTOS, M. A. G. dos. A prática da terapia cognitivo-comportamental baseada em *mindfulness* e aceitação, em *Psicologia em Revista*, v.18, n. 3, dez 2012. Disponível em: <http://pepsic.bvsalud.org/scielo.php?script=sci_arttext&pid=S1677-11682012000300012>. Acesso em: 14 set. 2016.

SEBRAE. Sobrevivência das Empresas no Brasil foi divulgado pelo SEBRAE 2013. Disponível em: <https://www.sebrae.com.br/Sebrae/Portal%20Sebrae/Anexos/Sobrevivencia_das_empresas_no_Brasil=2013.pdf>. Acesso em: 29 nov. 2016.

SILVA, N. *O Impacto Econômico da Confiança. Revista Exame*, 23 nov. 2015. Disponível em: <http://exame.abril.com.br/rede-de-blogs/gestao-fora-da-caixa/2015/11/23/o-impacto-economico-da-confianca/>. Acesso em: 30 jul. 2016.

ULRICH, D. Do Not Split HR: At Least Not Ram Charan's Way. *Harvard Business Review*, jul. 2014. Disponível em: <https://hbr.org/2014/07/do-not-split-hr-at-least-not-ram-charans-way>. Acesso em: 08 ago. 2016.

_____.; FILLER, E. CEOs and CHROs, crucial allies and potencial successors. *Korn Ferry Institute*, out. 2014. Disponível em: <http://www.kornferry.com/institute/ceos-and-chros-crucial-allies-and-potential-successors>. Acesso em: 10 ago. 2016.

UFPA. Disponível em: <http://www.ufpa.br/dicas/net1/int-h199.htm>. Acesso em: 01 set. 2016.

URY, W. *Como chegar ao sim com você mesmo*. Rio de Janeiro: Sextante, 2015.

_____. *Supere o não*: negociando com pessoas difíceis. Rio de Janeiro: Best Seller, 2008.

Contato com o autor
spiza@editoraevora.com.br

Este livro foi impresso pela gráfica Edelbra em papel *Offset* 75g.